CW00403452

GWENYN

Gareth Wyn Williams

Argraffiad cyntaf—Ebrill 1996

ISBN 1 85902 358 4

ⓗ Gareth Wyn Williams

UNED IAITH GENEDLAETHOL CYMRU

CBAC

Cyhoeddwyd dan nawdd Cynllun Llyfrau Darllen
Cyd-bwyllgor Addysg Cymru

Argraffwyd gan
Gwasg Gomer, Llandysul, Dyfed

DECHRAU

Bu'r glaw annhymhorol trwm yn rhwystr i'r fflamau rhag lledaenu drwy'r coed ar ôl y ffrwydrad. Anfonodd gwmwl oren eirias i'r awyr. Fe'i gwelwyd o'r dref a goleuwyd y tywyllwch drwy'r niwl am eiliadau. Clywyd y sŵn fel taran bell ac yna disgynnodd tawelwch.

Pan gyrhaeddodd y bobl, gwelent yr awyren yn llewyrch y llif-oleuadau â'i chefn wedi ysigo ac ôl llosgi o amgylch yr hollt. Roedd ei hadenydd wedi malurio a'i pheiriannau'n rhacs o fetel ar hyd ac ar led y tipyn cwm lle y disgynnodd. Codai stêm o'r darnau ac roedd y tawelwch yn argoeli'n ddrwg. Prin y gellid disgwyl i neb fod yn fyw. Yr unig wynt oedd y chwa a ddeuai pan basiai un o'r ddwy hofrennydd a anfonwyd i'r fan.

Byddai'n rhaid aros tan y bore i ddarganfod y cyrff i gyd.

Er mawr syndod, cafwyd wyth o bobl yn fyw ond cafwyd cant dau ddeg chwech yn farw ar y *Comet, Foxtrot Oscar 629* ar ei ffordd o Heathrow i Alicante, nos Wener Medi'r ail 1968.

Pennod 1

i

Gwyddai Dilys fod y bore gwlyb hwn o wanwyn yn 1988 yn mynd i fod yn gam i gyfeiriad arall yn ei bywyd. Ni sylweddolai, fodd bynnag, y byddai iddo gymaint o gorneli, fel y cerddai at y drws yn ei choban a'i gŵn llofft i nôl y botel laeth a'r *Guardian*. Agorodd y drws. Roedd y glaw wedi peidio ond diferai'r dŵr o'r bondo o hyd. Rhedai nentydd bychain i lawr y palmant i uno â nentydd hwy a lifai i lawr y draen. Safodd yno am ennyd i ddrachtio peth o awel ffres y bore a ddeuai dros y rhandiroedd gyferbyn. Roedden nhw'n fwlch yn y rhes dai fel bwlch mewn rhes o ddannedd. Sbeciodd bob ffordd ar hyd y stryd cyn chwibanu'n isel. Gyda'r chwibaniad sgrialodd cath dros wal y rhandiroedd ac i mewn i'r tŷ.

'Wo ho, Secsi,' meddai'r bachgen papur a ddaeth o lwybr cefn a mynd heibio iddi.

'Rhag dy gwilydd di, Sam Roberts am roi braw i hen ferch fel yna,' gwaeddodd ar ei ôl i lawr y stryd.

Er mai cellweirus oedd sylw'r bachgen, ni allai neb ddweud fod graen harddwch ei hieuenctid wedi ei gadael eto. Cododd y botel laeth, rhoi'r papur dan ei chesail, cau'r drws a phrysuro i'r gegin i hwylio ei phaned boreol. Trodd y tegell trydan ymlaen, cymryd cwpan o'r cwpwrdd, llwy o'r drôr a'u gosod yn ddefodol ar y bwrdd. Troellai'r gath wrth ei thraed a rhwbio yn erbyn ei choesau.

'Waeth i ti heb â mewian mor dorcalonnus, Twm bach, chei di mono fo ddim cynt, washi,' meddai gan gymryd soser arall o'r cwpwrdd, arllwys ychydig o laeth iddi a'i rhoi yr un mor ddefodol wrth droed y bwrdd.

Roedd Dilys wedi troi nifer o gorneli o'r blaen yn ei saith mlynedd a deugain ond doedd neb yn nhreflan y Rhewl yn gwybod amdanyn nhw, er bod cryn bendroni yn eu cylch wedi bod dros y blynyddoedd.

Gadawsai'r ysgol cyn gorffen ei chwrs yn y chweched dosbarth i fynd i goleg ysgrifenyddol yn Llundain, er mawr dristwch i'w hathrawon a siom i'w thad oedd wedi gweld dyfodol disglair i'w unig ferch. Gard ar y relwe fuodd o ar hyd ei oes ac fel pob gard ar y pryd, medden nhw, yn ddarllenwr awchus, a throsglwyddodd yr awch hwnnw i'w ferch. Hi oedd dydd a nos iddo, a gwelai hi yn dilyn yr yrfa academaidd a ddymunodd ond nas cafodd iddo'i hun.

'Hogan, ma' gen ti'r lwcs a'r brêns. Gwna ddefnydd da o'r ddau,' oedd ei eiriau ganwaith. Ond gadael a wnaeth er y berthynas glòs oedd rhyngddyn nhw, i ddianc rhag ei mam yn ôl rhai; gwraig lon ac eangfrydig yn ei hieuenctid ond un a drodd yn sur a chwynfanllyd yn ei chanol oed wedi cyfnod hir o salwch. Ai eiddigedd o'r berthynas rhwng ei gŵr a'i merch a achosodd i Dilys adael? Doedd neb yn gwybod yn iawn.

Cawsai yrfa ddisglair yn y coleg a doedd hi ddim yn sioc clywed ei bod hi wedi cael gwaith yn ysgrifenyddes bersonol i aelod seneddol. Digwyddai bod amryw o aelodau seneddol newydd wedi dod i'r coleg i chwilio am ysgrifenyddion gan fod enw da i'r lle. Roedd hi'n ddewis amlwg i Raymond Ellis, un o sêr gwib ifanc y Blaid Lafur ar y pryd, newydd gael ei ethol i un o gymoedd De Cymru. Rhoddodd hyn gryn bleser i'w thad a thawelodd dipyn ar ei chydwybod hithau gan iddo fynd yn ddisymwth i'w fedd yn sicr yn ei feddwl bod ei ferch wedi rhoi ei throed yn ôl ar y ffordd iawn.

Am tua deng mlynedd wedyn collodd Dilys gysylltiad â'r Rhewl gan ddilyn dyrchafiad Raymond Ellis i fod yn is-ysgrifennydd yn y Weinyddiaeth Gartref. Dôi yn ôl yn eithaf rheolaidd i ymweld â'i mam, yna dianc yn ôl i'r ddinas wedi deuddydd neu dri. Gwamalu a wnâi bob tro rhag cynnig gwybodaeth pan ofynnai pobl yn y capel neu yn siop y gornel am ei hynt yn Llundain. 'Llyfu stamps i bobol bwysig,' oedd ei disgrifiad o'i gwaith gan amlaf ac 'maen nhw'n rhy gyflym i'w dal yn Llunden cw,' oedd ei hateb pan ofynnid iddi a oedd ar ei ffordd i fachu gŵr. Doedd ei mam fawr gwell am roi ffeithiau, ac mae diffyg gwybodaeth bob amser yn cosi chwilfrydedd. Câi'r croeso defodol yn yr oedfa

8

ar fore Sul, 'yn falch gweld Dilys wedi dod i ymweld â ni unwaith eto . . .' Ar y ffordd allan ysgydwai law â'r blaenoriaid oedd yn gyfoedion i'w thad; bwytâi ei chinio gyda'i mam cyn prysuro i'r orsaf i ddal trên y prynhawn. Alltud parhaol oedd hi i'r gymdeithas frodorol.

Coswyd chwilfrydedd y gymdeithas honno i'r eithaf pan ddychwelodd un min nos o hydref a pheidio â dal y trên dydd Sul yn ôl i Lundain. 'Wedi dod i edrych ar ôl Mam,' oedd yr ateb pan holwyd iddi pam. Roedd rhaid iddyn nhw gyfaddef bod iechyd ei mam wedi dirywio cryn dipyn, ond doedd sôn am ryw anghydfod priodasol rhwng Raymond Ellis a'i wraig yn y papurau Sul ddim wedi mynd heb ennyn sylw, chwaith.

Daeth y newyddion yn groch ar y tudalennau blaen pan ddaethpwyd o hyd i gorff Raymond Ellis ar lawr ei fflat yn Llundain. Phenobarbitones a chwisgi oedd yr achos, yn ôl y meddyg wedi'r *post mortem*. Disgynnodd sylw'r wasg ar Dilys ac wrth iddo wneud, crebachodd fel crwban i gragen tŷ teras ei mam. Bu si am garwriaeth ond ni chadarnhawyd dim. Clowyd drws gwybodaeth yn Whitehall a chaewyd drws Bronwydd Street yn glep. Felly y bu am flwyddyn gron, ei mam a hithau yn garcharorion o'u gwirfodd i ddianc rhag llygaid cymdeithas.

Diflannodd y wasg o fewn pythefnos gan na alwyd ar Dilys i roi tystiolaeth yn y cwest. Dyfarnodd y crwner 'Death by misadventure' ar Raymond Ellis, a chododd tamaid mwy blasus yn rhywle arall i gymryd sylw pobol y papurau newyddion, ond nid agorwyd y llenni. Âi Dilys yn frysiog i'r dref unwaith yr wythnos i godi pensiwn ei mam a dôl iddi hithau, a siopa ychydig cyn sgrialu fel gwenci yn ôl i ddiogelwch y tŷ. Trowyd pob cynnig o gymorth gan gymdogion yn gwrtais o'r drws. Ni welwyd fawr ddim ar ei mam yn ystod y cyfnod, dim ond ambell gip arni yn yr ardd gefn a chan y doctor pan alwai ryw unwaith y mis.

Doedd eu meudwyaeth yn lliniaru dim ar chwilfrydedd y gymdeithas ac roedd yr ymddygiad eithafol yn peri i bawb amau bod rhyw ddrwg yn y potes.

9

Cam mawr felly fu i Dilys fentro allan drwy'r drws ryw fis cyn y Nadolig y flwyddyn wedyn a cherdded i'r Swyddfa Gyflogi i ofyn am waith. Cam mwy byth oedd cerdded i mewn i unig fanc y dref i weithio tu ôl i switsfwrdd a hynny yng ngolwg pawb. Ymddiheurodd y gŵr yn y Swyddfa Gyflogi am gynnig swydd a ystyriai yn israddol i'w chymwysterau iddi ond doedd dim swydd well yn nes at ei chartref ar gael ar y pryd. Ychwanegodd fod modd cael dyrchafiad dim ond i 'rywun gael ei droed yn y drws.' Gwenodd Dilys yn gwrtais a derbyn y cynnig am y cyfweliad. Fe'i derbyniwyd yn syth gan Havard Edwards, rheolwr y banc, a deimlai ddyletswydd dadol i'w rhoi'n ôl ar y gris iawn yn ei bywyd. Ni feddyliodd am funud y byddai, pan adawodd o fewn pum mlynedd, yn dal i gyfarch Dilys wrth y switsfwrdd o hyd, ond dyna fel y bu.

Cynigiodd bob cwrs dyrchafiad iddi, a gwrthododd hithau'n gwrtais. Ceisiodd bob ffordd i'w deffro o'i 'thrymgwsg' fel y disgrifiai ei chyflwr meddyliol, ond ni thyciai dim. 'Mi ydw i'n hapus lle'r ydw i,' fyddai ei hateb. Gwaith a chartref oedd ei bywyd ac ni allai neb ei hysgwyd o'i hundonedd bwriadol.

Trosglwyddwyd Havard Edwards i gangen arall a daeth Gwilym Lloyd yn ei le.

Er na ellid galw'i bywyd yn gwbl normal yn ystod y cyfnod hwn, bu'n ddigon normal i dynnu sylw oddi arni. Gwelwyd hi a'i mam o gwmpas y dref ar ambell achlysur ond nid aent o'u fforedd i siarad â neb. Pe byddai raid siarad, cwrtais, a dim mwy fyddai eu cyfathrach cyn gwneud esgus dros ymadael. Parhâi peth chwilfrydedd oherwydd eu bywyd unig ond dechreuodd cof y gymdeithas am ddigwyddiadau Llundain, neu'r hyn roedden nhw'n ei dybied a ddigwyddodd yno, bylu.

Ni wyddai neb fawr ddim am y berthynas rhyngddi hi a'i mam. Pobl heb gymeriad oedden nhw i'r rhelyw o'r gymdeithas; personoliaethau dau-ddimensiwn heb iddyn nhw na dyfnder na lliw, rhai heb farn am ddim nac adwaith at neb. Ni wyddai neb am ffieidd-dra'i mam at Dilys a'i stoicrwydd hithau wrth ymateb i'r casineb hwnnw. Wyddai neb am y tawelwch llethol a fu rhyngddynt am flwyddyn gron a'r gyfathrach hollol ffwythiannol a fu rhyngddyn nhw wedi hynny.

'Chi'n gwbod be,' meddai un o drigolion arall y stryd ar y pryd, 'dwi'n siŵr fod y ddwy ohonyn nhw'n falch cael mynd i'w gwlâu bob nos, ddim am 'u bod nhw wedi blino ond am 'u bod nhw'n falch cael gwared ar ddwrnod arall.'

Yn fuan wedi dyfodiad Gwilym Lloyd i'r banc, aeth iechyd y fam ar i lawr, er nad oedd cysylltiad rhwng y ddau ddigwyddiad. Ni chofiai neb yn iawn beth oedd yr afiechyd a ddioddefai ohono cyn marw ei gŵr, ond beth bynnag oedd, cymerodd afael sicrach. Wedi cyfnod hir o waeledd yn y tŷ, treuliodd bron flwyddyn yn ysbyty'r henoed yn y dref ac ymwelai Dilys â hi bob dydd. Ni ellid cael merch fwy cymwynasgar i'w mam; coban lân ddwywaith yr wythnos, ffrwythau ac ambell ddarn o darten.

Yno y bu farw ei mam. 'Does ene uffar o ddim fedrwch chi neud iddyn nhw os yden nhw wedi gneud 'u meddylie i fynd, yn nagoes,' oedd sylw un. Claddwyd hi gyda'i gŵr a chiliodd Dilys yn ôl i'w thŷ teras.

Ymaelodi â'r llyfrgell oedd y dystiolaeth gyntaf fod rhyw newid ar droed yn ei bywyd; hyn wedi cyfnod pellach o ryw chwe mis o feudwyo. Derbyn papur newydd oedd y cam nesaf. Ymaelodi â changen leol y Blaid Lafur oedd i ddilyn a dod yn gynghorydd ar y cyngor oedd y cam wedyn. Ni fynnai ddyrchafiad yn ei swydd, ond roedd y gweddnewid wedi digwydd. Roedd hi'n ôl yng nghôl y gymdeithas. Mynychodd yr ysgol nos i ddysgu Ffrangeg a daeth yn aelod o Ferched y Wawr a'r capel ond ni chroesodd neb garreg drws rhif 27 heblaw am ambell ddyn i ddarllen y meter neu weithiwr i drwsio piben neu osod carped.

Eisteddai yno ar y bore hwn o wanwyn; arllwysodd gwpanaid o de; tynnodd ei phecyn sigaréts a'i phapur yn agosach ati. Cymerodd lwnc byr cyn tanio 'i sigarét gyntaf a sugno'r mwg yn ddwfn i'w hysgyfaint. Edrychodd yn frysiog ar y dudalen flaen cyn troi at y dudalen ôl.

'Damia fo Twm, yr hen Araucaria sy'n gyfrifol am y croesair 'ma heddiw, wel di. Wst ti be, Twm, dwi'n siŵr 'i fod o'n hen gorrach piglyd, os ydi'i gliws o'n deud rhywbeth amdano fo; isio dangos 'i hun yn glyfar heb fod yn glyfar go iawn.' Pwl arall. 'Mi oeddwn i wedi gobeithio cael yr hen Xerxes i ymrafael â fo heddiw. Dwi'n siŵr fod hwnnw'n ddyn neis.' Sugnodd lai ar ei sigarét y tro hwn. 'Mae ei gliws o'n anodd, cofia, ond maen nhw'n gryf ac ar yr un pryd yn garedig, rywsut.' Oedodd i ddrachtio o'i chwpan yn feddylgar, gorffen ei sigarét a'i gwasgu'n bendant i'r soser lwch.

'Statue,' meddai yn orchestol wedi cael goleuni ar un o'r atebion. Plygodd y papur a'i roi ar y bwrdd. Eisteddodd yn ôl yn ei chadair ac edrych ar y cloc.

'Wel, dene ddechre o leia. Waeth i mi heb ag aros fan hyn. Mae'n well i mi gael yr hen wyneb ene allan o'r bocs paent eto, Twm.'

Cododd, gwagiodd weddillion ei chwpan i'r sinc, golchodd ef, y soser a'r llwy a'u gosod yn ôl yn y cwpwrdd. Gwagiodd y soser lwch i'r bin ac aeth i fyny'r grisiau.

ii

'Ddim yn Merica yden ni, Sam Roberts,' gwaeddodd Gwilym Lloyd ar ôl bachgen y papur, wedi i hwnnw daflu'r papur dros wrych ffrynt yr ardd i'w gôl. 'Mi yden ni'n cael glaw yn y wlad yma, ddim fel yn Califfornia, ac mae hi lot yn haws darllen papur pan ma' fo'n sych.'

'Sori Mr. Lloyd,' oedd yr ateb, 'ond mi oedd hi'n good shot on'd oedd? Mi landiodd reit yn ych côl chi on'd do? Ydech chi'n dod i sgota wsos nesa 'ŵan ych bod chi 'di riteirio?'

'Ew, ti'n giamstar ar newid y pwynt, on'd wyt. Beth bynnag, yn yr ysgol ddylet ti fod wythnos nesa, ddim ar lan afon.'

'Wel, ddim bob dydd, Mr. Lloyd,' oedd ei sylw hwyliog wrth iddo ymadael i orffen ei rownd.

Safodd Gwilym Lloyd yn yr ardd yn ei slipars a'i ŵn llofft yn edrych ar y bachgen yn diflannu tua'r dref.

O'r safle hwn gallai weld caenen o niwl yn codi o dai'r dref wrth i wres y bore daro ar y glaw oedd wedi disgyn yn ystod y nos. Saith mil o bobl yn nythu'n dawel mewn hafn rhwng tri bryn; dwy stad o dai cyngor, rhyw saith neu wyth rhes o dai teras, marchnad, dwy ysgol, eglwys, ysbyty bychan, tri chapel, siopau, ystad ddiwydiannol fechan, a dyna ni; heblaw am ychydig dai mwy sylweddol, tai fel yr un y trigai ef ynddo, yma ac acw ar gyrion y dref.

Daethai i'r dref ryw bymtheng mlynedd yn ôl yn rheolwr y banc, a phenderfynodd nad lle i'w adael oedd y Rhewl. Hoffai ddod i'r ardd ar dywydd braf a gweld y dref yn deffro.

'Tase rhywun yn dy weld ti'n sefyllian yn fanne, mi fase'n gwbod nad wyt ti'n hanner call,' meddai Glenys ei wraig o'r drws ffrynt. 'Rŵan te, tyrd i gael dy frecwast a phaid â dod â thraed gwlyb i'r tŷ.'

Trodd Gwilym, plygu'r papur yn ei hanner a chamu dros y border blodau i gyfeiriad y drws ffrynt. Roedd ei wraig wedi cilio'n ôl i'r gegin a chymerodd y cyfle i edrych ar y dudalen ôl.

'Damia fo, heddiw 'ma o bob diwrnod!' meddai. Plygodd y papur unwaith eto a'i roi dan ei gesail cyn sychu ei draed ar y mat a chamu trwy'r drws.

iii

'Wel Dafydd, ma' fo yma,' ebe Lois.

'Be sy yma?'

'Wel, dy enw di yn y papur 'ma, siŵr.'

'O, hwnna,' atebodd Dafydd wrth roi llwyaid arall o Weetabix yn ei geg.

'Dyna'r cwbwl alli di ddweud,— "o hwnna"?'

'Dwi'n gwbod, mi ydw i wedi 'i ddarllen o.'

'O, blasé iawn cariad, fi'n lecio'r cŵl. Ddysgon nhw di i

13

fod yn cŵl 'da dy deulu yn ogystal â'r staff, yn Holland? Ddim bob dydd rwyt ti'n mynd i gyrraedd y financial pages mêt, so paid â thrio dangos nad wyt ti'n reit falch ohonot ti dy hun.'

'Wel, y cwbwl wnes i oedd cofio bod y byd yn troi.'

'A safio miloedd o bunnoedd i Associated Electronics,' ebe Lois yn falch.

Bu ennyd o dawelwch cyn i Dafydd sylweddoli y dylai rannu peth o'i lewyrch gyda'i wraig.

'Mi oedd o'n reit dda on'd oedd?' meddai â gwên ar ei wyneb. 'Ond doedd o ddim yn llawer ar y pryd.'

'Ond mi oedd y banc yn meddwl 'i fod e.'

'Y cwbwl wnes i oedd trosglwyddo elw roedd y cwmni wedi 'i wneud ar adegau gwahanol o'r flwyddyn i'r wlad yma ac arbed talu treth mewn gwlad arall. Doedd neb arall wedi sylweddoli'r gwahaniaeth rhwng ein blwyddyn ariannol ni ac un America. Mi oedd defnyddio'r bwlch rhwng y ddau'n ddigon syml.'

'Corporate whizz kid,' ebe Lois yn ffug sardonig. Oedodd ac arllwys cwpanaid arall o goffi o'r percoladur cyn mynd ymlaen, 'wel pam aflwydd mae whizz kid fel ti yn mynd i dwll bach fel y Rhewl pan alli di fod yn gweithio yn y big time?'

'Dysgu,' oedd unig ateb Dafydd.

'Mi wyt ti wedi dweud hynny wrtha i ganwaith o'r blaen, ond pwy sy'n dysgu, ti neu'r banc?'

'Paid â phoeni. Fyddi di ddim yn gorfod troi yn Mrs Pritchard Rose Villa a beirniadu cynnyrch yn y W.I., felly gad hi yn fanne,' a brathodd ar ddarn o dost.

'Reit bos,' ebe Lois gan saliwtio, 'mynd i godi'r plant am 'u brecwast, bos.' Ychwanegodd wên sardonig i bwysleisio'i phwynt a cherdded o gwmpas y bar brecwast. Anelodd Dafydd slap at ei phen ôl a methu.

'Falle dy fod ti'n siarp iawn gyda rhife ond mae'n rhaid i ti fod yn dipyn siarpach i ddal y nymbar 'ma'r peth cynta yn y bore.'

Ysgydwodd ei phen ôl siapus yn bryfoclyd cyn mynd i

14

fyny'r grisiau. Doedd yr hen sbarc rywiol ddim wedi ei gadael, meddyliodd Dafydd. Mae sbarc yn gwneud iawn am lawer o ffaeleddau, meddyliodd wedyn wrth weld coes luniaidd yn ymwthio rhwng plygiadau tywel ei gŵn llofft.

Gŵr golygus deg ar hugain oed oedd Dafydd Pritchard. Gradd ddosbarth cyntaf mewn cyfrifiadureg, M.A ar y berthynas rhwng systemau economaidd a chyfrifiaduriaeth. Cyfnod disglair gyda B.T., cyn iddo gael ei fachu gan y banc.

Bachodd Lois ef pan oedd yn fyfyriwr yn gorffen ei draethawd, a hithau'n las-athrawes Hanes anfodlon. Yr un elfen a'i denodd hi ag a ddenodd y banc. Roedd yma ddyn awyddys i ddysgu, un arbennig o ddeallus ond a oedd yn bragmatydd pur. Heb darged i anelu ato gallai fod yn hollol ddiymadferth ond gyda nod pendant roedd yn berson ag ymroddiad llwyr at ei gyrraedd. Pan fyddai'n dadlau, rhestrai ei bwyntiau ar ei fysedd gan chwalu dadleuon y sawl a fynnai ddadlau yn ei erbyn. Roedd ganddo hefyd y deallusrwydd i falurio mewn ffordd a dorrai ysbryd ei wrthwynebydd, a'r rhyfyg wedyn i gymryd y darnau a faluriwyd a'u dethol yn bwrpasol i'w hailadeiladu i fod yn fwy cydnaws â'i farn ef ei hun.

'Mae dadlau 'da ti fel dal pen rheswm â tharan', oedd geiriau ei wraig sawl gwaith wrtho, wedi iddi roi'r gorau i'w wrthwynebu, 'ond ti'n gwbod beth, dwyt ti ddim wedi dysgu sut i ennill.'

'Mae'n dda nad oes rhaid imi ddysgu sut i golli,' fyddai ei ateb parod.

Daeth y plant i lawr y grisiau fel milwyr. Saliwtiodd Euros ef ar ei ffordd heibio at ei stôl wrth y bar brecwast. Eisteddodd Siân, ei chwaer fach, wrth ei ochr.

'Ddim yn mynd i'r ysgol y bore 'ma?' gofynnodd.

Prysurodd Siân i agor ei cheg a phwyntio at ei dannedd. 'Mynd i weld yr orffodoncis heddiw.'

'O,' meddai Dafydd.

'A fi,' ebe Euros.

'O,' atebodd Dafydd, 'a be ydi orffodoncis pan ma' fo adre?'

'Orffodoncis!' meddai Siân yn methu deall twpdra ei thad. 'Be ydi orffodoncis?' meddai gan droi at ei mam.

'Orthodontist,' meddai Euros yn ddiamynedd.

'O,' meddai Dafydd eto.

'Dyna fo, orffadoncis!' meddai Siân yn orchestol. Arllwysodd eu mam greision i fowlenni o flaen y ddau.

'Sôn am orffodontics,' meddai, 'mi gei di 'u cymryd nhw ato fe gan dy fod ti ar dy wylie'r wythnos 'ma. Ti'n gwbod beth maen nhw'n ddweud, "a fo ben bid gymryd ei blant at yr orthodontist".'

'Fydda i'n cael bathodyn arall?' gofynnodd Siân â llwyaid o greision yn hofran uwch y bwrdd.

'Rho hwnna'n dy geg,' ebe'i thad. 'Cei, mi gei di fathodyn. Na, fedra i ddim heddiw, Lois.'

'O, pam Dad?' ebe Euros. 'Mi gawn ni fynd i'r parc wedyn.'

'Mi fyddi di'n mynd i'r ysgol wedyn,' atebodd Dafydd. 'Mae'n rhaid i mi fynd i weithio.'

'Paid â dweud,' ebe Lois. 'Mi wyt ti'n mynd am bip i'r Rhewl on'd wyt ti?'

'Wel, meddwl o'n i am fynd draw i weld sut y mae pethau. Mi ydw i wedi ymweld â'r lle unwaith a darllen records y staff, a siarad efo'r rheolwr ond mae ene un neu ddau o bethau . . .'

'Iawn,' ebe Lois.

'Yli, mae'r banc yna wedi gwario lot o bres arna i'n ddiweddar yn yr Institiwt a mae'n rhaid i mi fynd drwy'r moshwns o dalu'n ôl am y seminars.'

'Iawn unwaith eto,' atebodd Lois yn ddiamynedd.

'Dad?' ebe Siân.

'Ia, cariad?' ebe Dafydd.

'Be di senimars?'

Chwarddodd pawb gan dorri'r tensiwn.

Roedd Tom Williams y cigydd a Pino Rabiotti'r caffe eisoes wrth eu gwaith, y naill yn stwffio cig i'r malwr a'r llall yn derbyn ei lwyth boreol o fara a theisennau. Stopiodd Tom ei falu a cherdded â llwyth o'r cig i'w osod yn yr oerydd. Sychodd ei ddwylo yn ei ffedog a chodi ei law ar Pino dros y ffordd. Byddai hwnnw wedi gwneud yr un modd oni bai ei fod yn cario llond hambwrdd o dorthau.

Roedd ceir o gwmpas y siop bapur newydd a mwg y pibellau egsost yn tystio taw newydd danio'r oedden nhw. Aeth un o fysys Byron Lloyd trwy'r pentref yn canu ei gorn wrth fynd i gasglu'r plant o gyrion y plwy i'r ysgol; darlun o dreflan yn ei hysgwyd ei hun o'i chwsg, y cyfan yn gymysgiad cartrefol o bobl ar wahanol gyfnodau yn eu diwrnod, rhai'n cychwyn, ac eraill wedi bod wrthi am oriau'n iro olwynion y gymdeithas, yn llenwi tanciau petrol, yn parselu llythyrau ac yn cario llaeth ar gyfer brecwastau.

Nid felly'r Sarjiant Liam Elwyn Murphy. Gŵr ag iddo dras cymysglyd iawn, fel y tystiai ei enw, oedd ef, ond dyn a dreuliodd y rhan fwyaf o'i oes ym mharthau y Rhewl. Roedd yn Gymro i'r carn. Ystyriai ei hun yn dipyn o fardd er na welodd yr un beirniad unrhyw rinwedd yn ei gynhyrchion. Roedd yn ŵr a gymerai ei rôl fel sarjiant o ddifrif. Credai y disgwylid i bob sarjiant fod yn gorfforol grwn, yn rhadlon ac yn ddiamynedd efo biwrocratiaeth; yn ddi-hid o lyfr rheolau plismyn. Doedd e ddim yn or-hoff o foreau, a herciai i lawr y grisiau ar bob un ohonyn nhw gan besychu. Roedd ei wraig yno i'w gyfarch bob bore a chwpanaid o de tra llithrai'n swrth at y soffa. Gwnâi hyn gan y gwyddai na fyddai'r syrthni'n parhau'n hir. Doedd y bore hwn ddim yn eithriad.

'Ti'n gwbod be,' ebe hi.

'Be?' atebodd yntau.

'Mi wyt ti'n andros o hyll yn y bore.'

'Ydw,' atebodd, 'ond pan wyt ti wedi bod yn hyll am gyhyd â fi mi wyt ti'n dod i arfer efo fo.'

'Hm,' ebe Glenda cyn gweiddi, 'Prys, wyt ti'n codi? Ma'
gynnon ni lot i' neud heddiw.'

Ni ddaeth un sŵn o'r llofft.

'Sgen ti ddim cydymdeimlad â'r hogyn, Glenda?'

'Ddim o gwbwl,' oedd ei hateb. 'Os ydi dynion yn ddigon
gwirion i fynd allan a gwneud ffylied ohonyn nhw'u hunen,
maen nhw'n haeddu pob eiliad o gur pen a gân nhw.
Doeddet tithe ddim yn rhy sobor yn troi am adre neithiwr,
chwaith.'

'Wel, dydi'r hogyn ddim yn mynd i briodi'n amal iawn,
ydi o?' atebodd, gan rwbio'i lygaid.

'Mi ydech chi fel plant, wir Dduw!' ebychodd Glenda ar ei
ffordd i'r gegin. 'Mi fase hi'n lot haws gneud hebddoch chi.'

'Ond fase hi ddim hanner cymaint o hwyl,' oedd sylw'i
gŵr oedd yn dechrau deffro erbyn hyn.

'Hy,' ebe hithau. 'Wyt ti am wy'r bore 'ma?'

Taenodd gwên ddireidus dros ei hwyneb.

'Dim diolch, cariad, 'atebodd gan wenu'n ôl.

v

'Ddim mynd i'r cownti sgŵl am y tro cynta'r ydw i,' ebe
Gwilym wrth ei wraig.

'Dwi'n gwbod ond dydi o'n gwneud dim ots. Safa i mi
gael gweld.'

Safodd o'i blaen yn ei siwt yn y cyntedd. 'Ga i bres cinio,
Mam?' gofynnodd yn gellweirus.

'Pres cinio wir; y cwbwl sy gen i isio'i wneud ydi gofalu
dy fod ti'n edrych yn iawn heddiw o bob diwrnod.'

Sylweddolodd Gwilym nad amser i gellwair oedd hi a
derbyniodd gystudd y brws dillad heb wingo. Bu bron iddo
brotestio am orfod gwisgo'i siwt orau ond tawodd. Wedi
deng mlynedd ar hugain o fywyd priodasol, roedd wedi
dysgu un peth o leia, sef pa bryd i dewi. Roedd y ddefod o
dacluso'n ddihangfa i Glenys rhag dangos ei theimladau.

'Rŵan te, cer,' ebe hi, 'a chadw oddi ar yr entertaining

18

whiskey ene. Mi wyt ti'n gwbod be ddwedodd y doctor am dy bwysedd gwaed di.'

'Mae whisgi'n dda i bwysedd gwaed, medden nhw.'

Edrychodd Glenys yn famol arno. Cododd yntau ei ddwylo cyn ebychu, 'O.K., O.K., ond mi fydd hi'n anodd iawn peidio heddiw.'

'Dwi'n gwbod ond dim ond un neu ddau, 'te.'

'Iawn,' ebe Gwilym, yn hapus gyda'r cyfaddawd. 'Reit 'te, mi â i 'te,' meddai braidd yn ansicr.

'Ia,' ebe Glenys. Roedd y ddau'n ymwybodol o'r weithred o fynd allan trwy'r drws. Torrodd Gwilym ar yr ansicrwydd trwy daro'i got law dros ei fraich, ei het ar ei ben a'i bapur dan ei gesail.

'Mi gerdda i heddiw. Mi oedd dyn y tywydd yn dweud 'i bod hi'n mynd i fod yn braf.' A chamodd allan. Oedodd ar ben yr ychydig risiau a arweiniai at lwybr yr ardd, trodd a phlannu cusan ar foch ei wraig. 'Tua hanner awr wedi pedwar,' meddai.

'Hanner awr wedi pedwar,' atebodd hithau gan ei wylio'n diflannu'r tu ôl i wrychoedd un o'r tai ymhellach i lawr y stryd.

vi

Ers adeg ei meudwyaeth doedd Dilys ddim wedi cloi ei drws ffrynt tan iddi sicrhau bod yr agoriad yn ddiogel yn ei phwrs. Doedd heddiw ddim yn eithriad. Sbeciodd i'w phwrs a chau'r drws cyn troi i gerdded y chwarter milltir i'w gwaith. Cymerodd gipolwg ar y ffrogiau yn Ladywear ac oedi am ennyd wrth Gambles Holidays cyn prysuro ymlaen.

vii

Seimon garddwr oedd yr unig dyst i Dilys a Gwilym ddod o gyfeiriadau gwahanol at ddrws y banc. Galwodd 'su mae' brysiog o'i safle ger y gwely blodau oedd ar sgwâr y dre cyn troi yn ôl i blannu bylbiau. Byddai'n well gan y ddau fod wedi cyrraedd ar adegau gwahanol, i osgoi gorfod dweud dim byd rhy arwyddocaol y peth cyntaf yn y bore. Roedd y diwrnod o reidrwydd yn mynd i fod yn llawn o ddigwyddiadau a sylwadau arwyddocaol.

'Mae o'n rhywbeth reit gysurlon, weldi,' ebe Gwilym wrth Dilys tra'n aros i Bleddyn, y dirprwy, ddod i agor y drws iddyn nhw.

'Be?' gofynnodd Dilys.

'Gwbod y base Seimon yn plannu bylbie tasen ni'n cyfarfod fan hyn yr adeg hon y flwyddyn nesa.'

'Hwyrach y base hi'n bwrw glaw,' atebodd Dilys.

Gwenodd y ddau ar ei gilydd, a Gwilym yn sylweddoli iddo gael ei ddal yn gwneud sylw arwyddocaol, sentimental cyntaf y dydd. Ni chafodd y sgwrs gyfle i ddatblygu ymhellach gan i Bleddyn agor y drws.

'Araucaria heddiw,' meddai Dilys.

'Araucaria,' atebodd Gwilym. 'Gawn ni gyfle i'w daclo fo heddiw, sgwni?'

Roedd y rhan fwyaf o staff y banc yno'n barod, yn amlwg wedi ymbrysuro wrth i'r ddau gerdded i mewn, Freda a edrychai ar ôl yr archebion banc a Menna, Hefina a Garfield, y tri chlerc a weithiai y tu ôl i'r cownter. Arthur oedd clerc y seciwritis. Yr unig un nad oedd yno oedd Linda, y clerc ffeilio. Disgwylid iddi hi ddod i mewn â'i gwynt yn ei dwrn fel arfer, a dyna a wnaeth hi, cyn i Bleddyn gau'r drws. Edrychodd Dilys ar Gwilym i'w gadw rhag dweud dim.

'Wel, dyma'r tro ola y bydda i'n gneud hyn i chi, Mr. Lloyd,' ebe Bleddyn wrth gau'r drws. Roedd y 'wel' cyntaf wedi dod a gwenodd Gwilym.

'Bore da, bawb,' meddai wrth godi ei bapur uwch ei ben.

'Bore da, Mr. Lloyd,' atebodd pawb fel plant mewn dosbarth yn cyfarch athro. Aeth Gwilym at ddrws ei ystafell oedd ar ben pella'r rhes ffenestri.

'Staff briefing mewn chwarter awr,' meddai cyn mynd o'r golwg.

Aeth Dilys i'w lle ger y switsfwrdd a'r teipiadur ar y ddesg, safle a roddai gyfle iddi weld pob mynd a dod. Rhan o'i swydd hi oedd cloi a dat-gloi'r drws y daethai drwyddo. Roedd ganddi fotwm ar ei desg ar gyfer hynnny. Gan mai hi oedd ysgrifenyddes swyddogol y rheolwr, roedd ei desg yn agos at ddrws cefn ei ystafell ef.

Eisteddodd ac ailosod y glustog a brynasai i leddfu tipyn ar y plyciau o lymbego a gâi ar adegau. Agorodd ei bag a chymryd ei sbectol a'i sigaréts ohono. Roedd ganddi leitar bychan arian ar y ddesg bob amser. Dywedodd Arthur lawer tro ei bod fel impressario yn cyrraedd at y piano yn barod i befformio, a châi gryn hwyl yn ei dynwared ar nosweithiau allan y staff, er mawr ddifyrrwch iddi hi a phawb arall. Ond gwraig o ddefodau oedd Dilys a doedd Arthur ddim yn mynd i newid hynny.

Er ei hamser hir yn y swydd, roedd hi'n parhau i gael pleser o gysylltu'r banc â'r byd y tu allan. Deuai hynny o'r cyfnod pan ailddysgodd sut i gyfathrachu â'r byd hwnnw. Roedd y ffôn yn declyn amhersonol ond eto'n fodd i gyfathrachu. Nid person cyflawn fyddai'n ateb y ffôn drwy'r dydd ond cynrychiolydd sefydliad, a gallai drosglwyddo pob galwad i rywun arall cyn i unrhyw berthynas ddatblygu. Erbyn hyn doedd hi ddim yn ofni siarad â phobl ac roedd ei llais yn ddigon adnabyddus i'r cwsmeriaid.

Yn aml iawn byddai wedi cael syniad ynghylch natur yr ymholiad cyn iddi ei drosglwyddo at yr un oedd i ymdrin ag ef. Sawl tro cafodd gais i bledio achos neu egluro sefyllfa i'r rheolwr dros hwn neu'r llall.

'Chi'n mynd i weld colled ar ei ôl o, Dilys?' gofynnodd Arthur ger y cwpwrdd ffeilio wrth ei desg.

'Mae'n dibynnu sut un fydd y boi newydd yma,' oedd ei hateb.

Fflachiodd golau ar y ddesg. 'His master's voice,' meddai Arthur yn gellweirus a chydiodd Dilys mewn pad ysgrifennu a phensil a chodi. Gan na fyddai yno i ateb y ffôn gwasgodd y swits ar y switsfwrdd i drosglwyddo unrhyw alwadau i swyddfa'r rheolwr. Gwenodd ar Arthur a mynd at Gwilym. 'Statue,' meddai wedi cau'r drws.

'Statue?'

'Statue, saith i lawr, "Is that you in a still state?" Statue.'

'Sut mae hynny'n...?' gofynnodd, ond fel hen groeseiriwr, gwawriodd y 'sut' ar Gwilym bron cyn iddo orffen y cwestiwn. 'O diawci, ia!' meddai. 'Dydi hwnna ddim yn rhy flêr, ddim fel lot o'i gliws o. Hwyrach 'i fod o'n mynd yn fwy addfwyn fel mae o'n mynd yn hŷn, fel ni. 'Rŵan 'te, heddiw 'ma.'

'Heddiw,' adleisiodd Dilys.

'Heddiw. Damia fo! Mi ydw i'n trio bod yn ymarferol dan amgylchiade anodd a tithe mor blwmin normal a didaro ynghylch popeth.'

Gwenodd hithau, fel petai'n hen gyfarwydd â bod yn sbwng i ebychiadau ysbeidiol ei bòs. 'Wel, bod yn ddidaro ydi'r ffordd ore, am wn i.'

'Dwi'n gwbod hynny'n iawn, ond dydi bod yn ddidaro ddim bob amser yn hawdd. Mi dw i wedi bod yn dod yma am bymtheg mlynedd rŵan, a heddiw am y tro cynta mi rydw i'n sylweddoli pob dim dw i'n neud. Mi dw i 'di dy alw di mewn bob bore'r adeg yma ac mi yden ni wedi bod yn gwbwl ddidaro, ond y bore 'ma does gynnon ni ddim byd i fod yn ddidaro yn ei gylch.'

'O, wn i ddim,' atebodd Dilys. Rhwygodd ddalen o'i llyfr nodiadau a'i chyflwyno i'r rheolwr. Arni roedd rhestr gyflawn o ddigwyddiadau'r dydd. Darllenodd yntau.

'Dilys, mi wyt ti'n santes.'

'Dwi'n gwbod,' atebodd hithau a llaciodd yr awyrgylch.

viii

Safai rhai, eisteddai rhai a phwysai rhai yn erbyn y cownter yn y swyddfa gynllun agored sy tu ôl i gownter pob banc, pob un yn aros am staff briefing olaf Gwilym. Safai Gwilym o'u blaenau. Tynnodd bapur Dilys o'i boced a'i ddarllen cyn ei roi'n ôl yn ei boced.

'Reit, dyna ni te,' meddai. '*Business as usual.* Mi fydda i'n reit brysur trwy'r bore, ac am dipyn bach o'r prynhawn, o be

22

wela i, ond mae'r banc, fel y gwyddoch chi, yn cau am hanner awn wedi tri, ond ydi, Mr. Roberts?'

'Ydi, Mr. Lloyd, ar 'i ben!' atebodd Bleddyn.

'Reit, peidiwch bod yn hwyr yn taclusu heno 'ma da chi, os yden ni'n mynd i gael parti yn y lle 'ma.'

Gwenodd pawb ar ddull ffug swta Gwilym o roi ei gyfar-wyddiadau.

Wedi saib ychwanegodd, 'Wel be ydech chi isio, darlith yr adeg yma o'r bore? Gweithiwch y tacle!'

Trodd i fynd yn ôl i'w swyddfa gan gadw heb wenu. Trodd pawb at ei waith gan siarad, ond oedodd y rheolwr ac yntau hanner y ffordd trwy'r drws, 'Os digwydd ichi daro i mewn i'r George tuag amser cinio, mi fydd yna rywbeth at ych lles chi ar y bar. Mr. Roberts, trefnwch rota, newch chi.' Caeodd y drws ar ei ôl.

'Ww! Jeli a blymonj,' ebe Linda, a chyda'r geiriau aeth pawb i baratoi ar gyfer cwsmeriaid cyntaf y dydd.

ix

Roedd y negesau wedi cael eu hanfon a phopeth yn digwydd yn ôl y drefn. Gwyddai Dilys sut i amseru pethau. Gwyddai pa rai o'r cwsmeriaid oedd yn haeddu mwy o sylw a pha rai oedd i'w cadw rhag cwrdd ag ambell un arall; popeth yn weddus, yn fesuredig, yn rhesymegol. Daethant bob yn ddau neu dri neu bedwar, yn ffermwyr, yn ddynion llaeth, yn gigyddion ac yn berchnogion busnesau, fel is-uchelwyr yn dod i dalu gwrogaeth i'r teyrn. Pe digwyddai i rai oedi'n rhy hir uwch y chwisgi croeso a gadwai Gwilym yn ei gwpwrdd, rhoddai Dilys ei phig i mewn a chynnig esgus i Gwilym dros ffarwelio â hwy. Roedd y ffurfioldeb ysgrifen-yddol tawel yn ddigon iddyn nhw sylweddoli nad oedd hi'n weddus aros yn hwy ac ymadawent yn hwyliog i fusnes y bore.

Deuai cwsmeriaid i mewn i godi eu harian, i drefnu archebion, i wneud cytundebau ynghylch benthyciadau i brynu car neu dractor, neu i godi adeilad. Deuai sŵn peiriant Linda yn y stafell gefn wrth iddi brosesu sieciau, a sŵn droriau'n agor ac yn cau, y cloriannau arian yn codi ac yn disgyn, a'r lleisiau'n holi ac yn ateb.

'Ewch drwodd ato fo. Mae o'n ych disgwyl chi,' ebe Dilys sawl gwaith, a threiglodd y bore'n ei flaen.

x

Stopiodd Dafydd ei gar wrth ochr y ffordd a âi dros dipyn o fryn iddo gael edrych i lawr ar y dref. Agorodd y drws a chamu allan. Roedd prysurdeb y bore wedi peidio ac nid âi ond ambell fan neu gar preifat heibio. Cerddodd at flaen y car a phwyso arno. Roedd hi'n amlwg yn amser chwarae yn yr ysgol a'r plant yn heidio yma ac acw yn yr iard islaw. Sylwodd ar wacter y maes parcio wrth ochr y farchnad a chofio taw dydd Iau oedd y diwrnod marchnad. Gallai weld tipyn o fynd a dod ar hyd y briffordd yn y pentref. Gallai weld ambell gar yn stopio, un arall yn troi, rhywun yn rhoi ei neges mewn cist car y tu allan i'r Co-op. Gwelai rywun yn eistedd ar fainc wrth y tipyn glesni y tu allan i'r banc a garddwr wrthi'n trin y pridd.

Sylwodd ar siâp y cyfan, y tai teras yn griw gyda'i gilydd yn rhwydwaith rhesymegol taclus, y tai cyngor yn weddol agos atyn nhw mewn stad weddol gyfartal o ran maint, a'r tai preifat yn rhesi ar hyd y prif ffyrdd i mewn i'r dref. Sylwodd ar yr ysgol a dau neu dri o gapeli a'r farchnad yng nghanol y cyfan nid nepell o'r brif ganolfan fasnachol. Cyfundrefn gymdeithasol ddelfrydol yn adlewyrchu rhaniadau socio-economaidd taclus a mesuradwy.

Trodd. Dychwelodd i'r car a thanio'r peiriant. Suodd ei gar yr hanner milltir oedd yn weddill i lawr i'r dreflan.

Roedd sglein y gweddnewid diweddar yn amlwg yn y George. Doedd dim ôl sigaréts yn y carped a doedd dim ôl traul ar y cadeiriau mocét. Edrychodd Dafydd o'i gwmpas gan sylwi ar y cymysgedd od o luniau ceffylau rasio a rhai o luniau Lowry ar y waliau, a'r papur ffloc yn gefndir iddyn nhw. Lolfa gymharol dywyll oedd yno o'i chymharu â'r heulwen y tu allan a doedd dim i amharu ar ddistawrwydd cymharol y lle, heblaw am ambell dinc wrth i Les y tafarnwr symud baril neu boteli yn y seler. Dewisodd Dafydd sgwaryn o gaws o'r platiaid o'i flaen a'i roi yn ei geg cyn ei olchi i lawr â llwnc o'r lager a brynodd gyda'r brechdanau. Daeth rhywun i mewn i brynu sigaréts o'r peiriant wrth ddrws y tai bach.

'Pwy glywodd am siop bapur newydd yn cau amser cinio, dudwch,' meddai hwnnw wrth Dafydd, fel petai'n ymddiheuro am ddod i darfu ar y tawelwch. Gwenodd Dafydd arno wrth iddo gymryd ei becyn a mynd allan. Dychwelodd yr heddwch.

Cododd Les ei ben o'r tu ôl i'r bar a gweld nad oedd galw amdano. Dychwelodd trwy'r drws yn y llawr i'r seler i orffen ei orchwyl.

Yna daethant i mewn yn haid swnllyd, y ddwy ferch yn gollwng eu bagiau fel y deuent drwy'r drws gan anelu am y sedd gilgant yn y gornel dan y ffenest a wynebai'r ffordd, fel petaen nhw yn hen gyfarwydd â gwneud hynny. Yn fuan ar eu holau daeth dyn ifanc, gŵr canol oed ac un arall dipyn yn hŷn a mynd am y bar.

'Beth fydd hi ferched?' gofynnodd y dyn ifanc.

'Dim peryg yn y byd, ' meddai'r gŵr hŷn. 'Rhywbeth at ych lles chi ddwedes i, a dyna o'n i'n feddwl. *Les, I'm running away with the takings unless you come and attend to your customers this instant.'*

'*Be up in a minute, Mr. Lloyd,*' oedd yr ateb o'r seler. '*Help yourself to the takings. You've got most of 'em anyway,*' ychwanegodd ag acen Birmingham yn drwm ar ei lais. Yna daeth i'r golwg o'r dyfnderoedd y tu ôl i'r bar.

'*Two pints of your best bitter landlord,*' ebe Gwilym. 'Be ydech chi isio, ferched?'

'Martini a lemonêd a hanner o lager a leim, plîs, Mr. Lloyd,' oedd yr ateb.

"*Syour last day, ain't it, Mr. Lloyd?*"

'*Yes.*'

'*Any regrets?*'

'*Only one.*'

'*What's that then, eh?*'

'*In fifteen years not being able to get you to speak Welsh.*'

'*Never needed to. Who needs Welsh with an order like Martini and lemonade and a lager and lime? I've got on very well over the years with "hanna" and "o".*'

'Hanna and o?' holodd Gwilym.

'*Yeh*, hanna o lager *and* hanna o *bitter and a packet* o *crisps.*'

Gwenodd Gwilym oherwydd ffraethineb y tafarnwr. Ychwanegodd y tafarnwr, '*Shall I set up a Dubonet a tonic for her ladyship?*'

'*I think you'd better had, Les.*'

Trodd Les i arllwys y Dubonet ac erbyn iddo droi yn ôl at y bar safai Dilys o'i flaen.

'*Thank you very much, Mr. Whittaker,*' meddai.

Gyda'r geiriau llifodd nifer o bobl i'r lolfa a throi'r tawelwch gynt yn fôr o sŵn. Chwalwyd destlusrwydd y cadeiriau a halogwyd y soseri llwch a'r llieiniau ar y bar. Roedd rhialtwch defodol amser cinio dydd Gwener wedi cychwyn, athrawon ysgol, merched o'r Co-op, ambell ffarmwr a thrafaeliwr a gweithwyr y banc.

Sychodd Dafydd ei blât â darn o fara a'i fwyta. Llyncodd weddill ei hanner o lager i ymadael. Doedd o ddim yn rhan o'r ddefod ac ni fynnai fod. Nid oedd am dynnu sylw ato'i hun ac nid oedd am i Gwilym Lloyd ei weld, felly aeth yr ochr arall i'r piler oedd yng nghanol y lolfa a mynd at y drws. Cododd Gwilym tua'r un adeg â'i fryd ar y tai bach a chyfarfu'r ddau wrth ochr y piler.

'Helô, Mr. Pritchard, be ydi . . .?'

'Helô, Mr. Lloyd? Meddwl y baswn i'n dod draw atoch chi

26

i gael gair bach yn anffurfiol cyn dydd Llun,' ebe Dafydd fel petai wedi amseru'r cyfarfod wrth y piler yn fwriadol.

'Dallt yn iawn,' meddai Gwilym yn dadol gan hanner wincio. Cuddiodd Dafydd y tro yn ei berfedd a ddaeth yn sgîl y geiriau. Doedd neb wedi siarad mor nawddoglyd ag ef ers ei ddyddiau ysgol ond mynnai'r sefyllfa iddo ddioddef hynny am y tro. Dyma'r sefyllfa oedd wedi dymuno'i hosgoi.

'Wyt ti am rywbeth i yfed?' holodd Gwilym.

'Wel, wrth gwrs,' atebodd Dafydd.

'Beth fydd o?'

'Gin and tonic os gwelwch yn dda.'

'*Les, Gee and Tee for the gentleman please,*' meddai Gwilym wrth y tafarnwr oedd yn rhannu stori gyda rhywun y pen arall i'r bar. Rhoddodd y ddiod i Dafydd.

'Rhwydd hynt a hapusrwydd,' meddai hwnnw.

'Wel, diolch yn fawr,' atebodd Gwilym. 'Rhwydd hynt i tithe a chadw ofal da o'r siop.'

Gwenodd Dafydd a dechrau yfed. 'Ydw i'n mynd i gael cwrdd â nhw?'

'Wrth gwrs, wrth gwrs.' Trodd y ddau a cherdded at y sedd grom.

'Wel blantos, dyma'r bòs newydd, Mr. Pritchard.'

Yn sydyn teimlai Dafydd fel myfyriwr yn cael ei gyflwyno i'w ddosbarth newydd gan athro profiadol.

'Oes rhywun ar ôl i edrych ar ôl y siop, deudwch?' dywedodd â gwên ar ei wyneb ond â thinc o ddifrifoldeb yn ei lais.

'Mae Mr. Rees seciwritis a Mr. Roberts y second man a Hefina yn y banc . . .' ebe rhywun.

'Peidiwch â phoeni, dim dod i chwilio am frychau'r ydw i, dim ond wedi dod i sbecian drwy'r ffenest cyn cymryd y siop drosodd. Gadewch i mi weld, Garfield, ydw i'n iawn? Freda a Menna? A Dilys. Mi oeddwn i'n meddwl y basech chi'n edrych yn llawer hŷn.'

Gwenodd Dilys arno heb ddweud dim.

Agorodd y drws a safodd Linda o'u blaenau.

'T.G.I.F.,' meddai, '*Thank God it's Friday. Gimme a slug of redeye, bòs.* Hey pwy 'di'r hunk?' meddai wedyn gan gyfeirio'n gellweirus at Dafydd. Edrychodd y lleill ar ei gilydd.

Torrodd Dafydd ar y distawrwydd. Llyncodd weddill ei gin, rhoddodd ddecpunt ar y bar o'u blaenau, 'At y citi ar gyfer y parti. Ddim fy lle fi ydi hwn tan dydd Llun, ond mi oedd hi'n neis ych cyfarfod chi i gyd cyn hynny.'

Ysgydwodd law â Gwilym unwaith eto a dweud ychydig eiriau cwrtais cyn ymadael a gadael i'r cwmni syllu'n gegrwth ar ei ôl.

'*Hey, who was that man?*' ebe Linda.

'*That was the Lone Ranger,*' meddai Freda gan edrych i gyfeiriad y drws.

'Y manijar newydd, yr hulpan wirion,' oedd sylw Garfield.

'O,' ebe Linda wrth suddo i'r sedd yn ymyl Dilys, gwneud siâp gwn a'i roi wrth ei phen.

'Araucaria,' meddai Dilys yn dawel tra chwarddai pawb arall.

xii

Am hanner awr wedi pedwar cyrhaeddodd Glenys â'r deisen. Roedd y gwaith wedi ei wneud, y colofnau yn y llyfrau'n cydbwyso a'r arian yn ei wely am y penwythnos. Caewyd y llenni.

'Jeli a blymonj,' cyhoeddodd Linda.

Rholiodd Arthur y troli â'i llond o ganiau cwrw a gwin o ystafell y rheolwr i ran y cwsmeriaid o'r banc. Rhoddwyd y deisen mewn man canolog ar fwrdd bychan a ddaliai bamffledi fel arfer. Daeth miwsig o beiriant recordio yn y gornel. Roedd amryw o wahoddedigion yno eisoes, Seimon Garddwr, Les y George, y cigydd. Daeth cnoc ar y drws, y cyntaf o nifer, a daeth Mr. Rabiotti a dwy o ferched y caffe i mewn yn cario bwrdd yn llawn bwyd.

Gweithredodd Arthur fel porthor i hebrwng gweithwyr y

28

fro i ymuno â'r wledd. Roedd Linda wedi cyhoeddi fod hwn yn barti ffarwelio iddi hi hefyd gan y credai y byddai allan o waith erbyn dydd Llun a gofalodd ei bod hi a phawb arall yn mynd i fwynhau eu hunain. Erbyn chwech o'r gloch roedd y parti wedi codi stêm. Bu cystadleuaeth dawnsio limbo dan ymbarél rhwng dau blanhigyn rwber a chystadleuaeth dawnsio roc a rôl. Enillodd gweithwyr Agri Supplies y gystadleuaeth drosglwyddo balwns rhwng gliniau a chyn saith bu raid i Les fynd i adnewyddu stoc y droli ddiodydd.

Er y rhialtwch i gyd gellid gweld y gwahanol grwpiau yn weddol eglur, y rhai ifanc yng nghanol y cyfan, y rhai 'llai ifanc' yn mynd a dod i mewn ac allan o'r rhialtwch yn ôl yr angen, rhag iddyn nhw ymddangos yn rhy stiff, a'r rhai o'r un oed â Dilys yn sefyll ar y naill ochr gan adael i'r bwrlwm ddigwydd o'u cwmpas. Safai Gwilym yng nghanol y rhain, ac erbyn hyn edrychai braidd yn simsan, a Glenys wrth ei ochr braidd yn bryderus. Gwyddai hi fod ei gŵr wedi cael diferyn neu ddau'n ormod yn ystod y dydd a phoenai am yr hyn a âi drwy ei feddwl. Er y wên ar ei wyneb, gallai weld arlliw o loes yn ei lygaid. Gallai ei guddio yn dda.

'Ga i 'i gymryd o i ddawnsio?' gofynnodd Hefina iddi.

'Cewch wrth gwrs, ond peidiwch 'i flino fo. Ma' fo'n mynd yn hen, cofiwch,' atebodd Glenys.

'Mynd yn hen?' ebe Gwilym, 'mi ddangosa i ichi be 'di hen,' a gafaelodd yng ngwasg Hefina a'i hebrwng i ganol y llawr. Gwnaeth ymdrech deg i fod yn ifanc yn ei symudiadau i'r Rolling Stones yn canu 'Jumpin Jack Flash'. Wedi i'r gân orffen, cusanodd law Hefina a safodd pawb yn ôl i guro dwylo. Smaliodd yntau gloffi'n ôl at ei wraig gan wasgu ei law yn erbyn ei frest ac eistedd.

Safai Dilys a Liam Murphy ar un ochr yn gwylio'r cyfan, y naill â'i Dubonet a'r llall â'i wydraid o chwisgi. Roedd yr olygfa o sarjiant yn ei ddillad gwaith, yn cydio mewn gwydraid o chwisgi, tra'n pwyso yn erbyn cownter banc yn un od o anghofio'r amgylchiadau.

'Ydi o'n iawn, dudwch, fod ceidwad y gyfraith yn diota yng nghanolfan fasnach y dre 'ma?' gofynnodd Dilys.

'Wel, does yna ddim rheol bendant am y peth yn y maniwal,' atebodd y sarjiant, 'felly, mae'n rhaid 'i fod o. Mae o'n dweud am yfed tra ar ddyletswydd, ond dydw i ddim ar ddyletswydd, felly mae hi'n iawn.'

'Pwy ydw i i ddadlau â'r gyfraith?' meddai Dilys. 'Ond hwyrach fod yna herwyr a lladron a llofruddwyr yn frith yn y dre 'ma heno, a chithe yn fan 'ma yn gwneud dim yn eu cylch nhw.'

'Dilys, os ydi Jack the Ripper, y Kray Twins a'r Maffia yn penderfynu galw yn y Rhewl heno, mae arna i ofn y bydd rhaid iddyn nhw aros tan i mi orffen hwn.' Cododd ei wydryn ac edrych ar Dilys.

Roedd Dilys yn gwybod, er y sylw ysgafn, nad oedd nemor ddim yn digwydd yn y Rhewl na wyddai'r sarjiant amdano. Gwamalwr o fri oedd o ond y tu ôl i'r gwamalu llechai ymennydd miniog a sugnai wybodaeth.

'Mi fydd hi'n dipyn o golled ar ôl yr hen ddiawl crintach yn bydd,' ebe Murphy. 'Ma' fo 'di bod yma cyhyd, mi yden ni'n gwbod sut i'w gymryd o. Better the devil ac ati am wn i. Ydech chi wedi gweld y boi newydd sy'n dod yma? Tipyn o whizz kid, yn ôl be glywes i.'

'Ydw,'atebodd Dilys.

'Mi fydd o dipyn yn wahanol i'r hen Gwil.'

'Bydd, am wn i.'

'Mi ydech chi'n gythgam o cŵl am y peth. Damia fo, mi ydech chi a fo 'di bod yn gweithio efo'ch gilydd ers pymtheng mlynedd, a'r cwbwl fedrwch chi ddeud ydi "bydd am wn i". Does dim rhaid i mi ddeud wrthoch chi fod yr hen le yma yn reit ddelicet yn 'i ffordd, ac mi feder newid manijar mewn banc, yn yr unig fanc cofiwch chi, ypsetio'r balans. Ylwch, mi ydw i wedi bod yma ar hyd f'oes. O.K., mi ydw i 'di bod i ffwrdd am blwc yma ac acw, ond yma dw i wedi bod, fwy neu lai. Mae pobol fel tasen nhw yn gwbod be ydi be efo fi. Dene chi Les yn y fan acw. Mae o'n gwbod nad ydw i'n mynd i gwyno os ydi o'n mynd i aros ar agor yn hwyr ambell noson, c'yd â bod dim sŵn o gwmpas y dre a dim paffio wedyn. Pan ma' rhwbeth yn digwydd, rhwbeth yn ca'l 'i ddwyn, ma' gen i syniad da pwy sy ar fai. Y cwbwl sy raid i rywun neud ydi gweld lle mae'r patrwm wedi cael 'i styrbio.' Oedodd am ennyd am lwnc o'i chwisgi. 'Mae Gwilym yn rhan bwysig o'r patrwm yna. Fydd y boi newydd yma'n medru gweld yr un patrwm? Choelia i byth.'

'Ydi, mae hi'n neis gwbod lle mae rhywun yn sefyll, ond mae'n rhaid i ni beidio â barnu cyn gweld. Dydi pob newid ddim yn ddrwg. Wrach bod pethau yn rhy sefydlog, fydda i'n meddwl weithiau,' oedd adwaith Dilys cyn i Bleddyn droi'r sŵn i lawr ar y recordydd a churo ar silff y ffenest am ddistawrwydd.

'Reit,' meddai, 'ga i'ch sylw chi, os gwelwch yn dda? Mae'r amser wedi dod i ni anrhydeddu ein rheolwr. Mr. Lloyd, cymerwch eich dyledus le.' Hebryngwyd Gwilym i gadair oedd wedi ei gosod ar ganol y llawr.

'Gyfeillion, nid yw'r anrhydeddus wedi ei ddilladu'n iawn ar gyfer y seremoni. Arthur o Siciwritis, fyddech chi mor garedig?'

Roedd pawb erbyn hyn wedi paratoi lle agored yn y canol ac yn sefyll o gwmpas y waliau. Camodd Bleddyn ymlaen i arwain. Daeth Arthur ymlaen â llen borffor â darn o ffwr wedi ei bwytho'n rhyw fath o goler yn ei ddwylo. Gosododd hi ar ysgwyddau Gwilym tra eisteddai hwnnw yn syfrdan yn y gadair.

'Diolch, Arthur o Siciwritis,' meddai Bleddyn. 'Freda o Debits, telynores y seremoni, cerddoriaeth os gwelwch yn dda.'

Daeth sŵn casét yn cael ei newid yn y cefndir er mawr ddifyrrwch i bawb, ac yna gerddoriaeth telyn. Gyda'r gerddoriaeth camodd Hefina a Linda ymlaen, y ddwy mewn gwisg a wnaed o hen sachau tatws, torch o ddail am eu pennau a thusw o flodau gan bob un. Aethant ati i ddawnsio dawns flodau'r Eisteddfod Genedlaethol, gan daflu blodau yma ac acw ymhlith y gynulleidfa a thros Gwilym, y ddwy yn ceisio bod mor osgeiddig â phosib, er difyrrwch i bawb, cyn iddyn nhw gilio i'r cefndir. Yna distawodd y delyn â gwich ansoniarus.

'Ac yn awr y deyrnged farddol gan Liam o'r Iard.'

Camodd Liam Murphy ymlaen a sefyll wrth ochr Gwilym. Trodd ei lygaid tua'r nenfwd a dechreuodd lefaru.

Roedd Liam yn feistr ar hunanddychan, meddyliodd Dilys, ond crefft na allai'r un beirniad eisteddfodol ei gwerthfawrogi heb iddo glywed yr awdur yn llefaru oedd hi. Roedd ei jôcs barddonol yn wan ond eu gwendid oedd eu doniolwch ac wedi iddo orffen curodd pawb ddwylo'n frwd. Derbyniodd y sarjiant y clod drwy chwifio'i law fel y frenhines.

'Yn olaf, y rhodd,' ebe Bleddyn.

Daeth sŵn y delyn unwaith eto a cherddodd Garfield i mewn yn gwisgo coban wen hir a thywel am ei ben. Ar ei ôl daeth Linda a Hefina yn cario cynffon y goban. Cariai Garfield barsel hir o'i flaen, a chyda cyrtsi fe'i cyflwynodd i Gwilym cyn dychwelyd i'r cefndir wysg ei gefn a Linda a Hefina gydag e. Stopiwyd y tâp unwaith eto.

'Y mae hi'n awr yn ofynnol i'r rheolwr,' (pesychiad), 'cyn-reolwr, agor ei anrheg a dweud gair,' ebe Bleddyn.

Agorodd Gwilym y parsel a darganfod ynddo wialen bysgota a rhuban glas amdani. Curodd pawb ddwylo. Prysurodd i'w rhoi wrth ei gilydd a safodd i siarad, yr wialen yn ei law. Pwyntiodd hi at Bleddyn.

'Do'n i ddim yn rhy hapus ar pa mor llithrig y daeth y "cyn-reolwr" ene oddi ar dy dafod di, Bleddyn Roberts. Mi fase rhywun yn meddwl ych bod chi'n falch o gael gwared ohono i.' Chwarddodd pawb. 'Ond annwyl gyfeillion, i mi gael bod yn reit ddifrifol am funud, dyma'r peth anodda ydw i wedi 'i wneud erioed yn fy mywyd, ac fel y dwedodd Shakespeare, "*If 'tis done when 'tis done, 'twere well 'twere done quickly*", a dyna wna i.' Oedodd am eiliad ac anadlu'n ddwfn. 'Wn i ddim os ydech chi'r un fath â fi ond mi fydda i'n cael andros o job postio llythyr. Mi ydech chi'n 'i sgwennu o, yn 'i roi o mewn amlen, yn rhoi stamp arno fo ac wedyn yn mynd â fo at y bocs, ond wedyn mi fydda i'n cael yr un hen deimlad bob tro wrth 'i roi o trwy'r twll ene; wel, dene fo wedi mynd rŵan a fedra i ddim 'i gael o'n 'i ôl. Wel, dyna'n union sut ydw i'n teimlo heddiw. Mae'r hen le 'ma 'di bod yn rhan go bwysig yn 'y mywyd i am y pymtheg mlynedd diwetha, â'i lond o atgofion melys, am y staff, y cwsmeriaid, a'r digwyddiadau. Ond mi ydw i wedi penderfynu gadael iddo fo fynd a ddaw o ddim yn 'i ôl.'

Roedd Linda erbyn hyn yn llygatgoch a'r cwmni i gyd yn dawel. Anadlodd yn drwm eto cyn parhau.

'Mae gen i lawer iawn o bobol i ddiolch iddyn nhw ond mi faswn i yma tan Sul y Pys yn 'u rhestru nhw, felly wna i ddim. Y cwbwl ddweda i ydi nad ydi Glenys na fi'n symud i Mars ac mi fyddwn ni'n cadw golwg arnoch chi i gyd.' Chwifiodd y wialen o gwmpas yr ystafell. 'Yr unig reswm pam y cytunes i fynd oedd am fod Dilys yma i gadw llygad arnoch chi. Reit te, Mr. Roberts, yden ni'n mynd i fwyta'r gacen yma neu ddim ond edrych arni hi?'

'Bydd y rheolwr a'i wraig yn torri'r deisen,' cyhoeddodd Bleddyn, ac felly y bu. Diffoddwyd y pymtheg cannwyll a rhannwyd y deisen, y cyfan fel petai'n arwydd fod y dathlu ar ben.

Edrychodd Gwilym a Glenys ar ei gilydd a gwyddai'r ddau fod yr amser i ymadael wedi dod. Bu cryn ysgwyd llaw a dymuno'n dda a diolch cyn i'r ddau fynd at y drws. Safai Dilys nid nepell oddi wrth botyn planhigyn rwber ger y drws hwnnw. Roedd Glenys wedi troi'n gyfleus i ddiolch i rywun a safai Gwilym a Dilys yn wynebu ei gilydd. Dechreuodd Gwilym siarad ond torrodd Dilys ar ei draws.

'Chi'n gwbod beth ddwedodd Shakespeare. Rŵan te, tewch ac ewch da chi.' Daeth Glenys atyn nhw.

'Cofiwch alw,' meddai wrth Dilys. 'Mae'r tegell bob amser ar y tân ac mae'r drws bob amser ar agor.' Gwyddai fod y geiriau'n swnio braidd yn ystrydebol a gwag a thawodd.

'Wrth gwrs,' meddai Dilys yn gwrtais.

'Orffennon ni mo'r hen groesair ene wedi'r cwbwl,' ebe Gwilym.

'Naddo wir. Mi yden ni bob amser yn cael trafferth efo'r hen Araucaria ene,' atebodd Dilys.

'Tyrd yn dy flaen. Mi wyt ti'n hen ddyn ar dy bensiwn, cofia,' ebe Glenys a chyda'r geiriau aeth y ddau trwy'r drws i'r gwyll.

33

Trodd Dilys i godi'r gwydrau a'r platiau papur. 'Does dim rhaid,' ebe Arthur. 'Mae'r merched sy'n glanhau wedi dweud y dôn nhw mewn yn gynnar yfory i dacluso.'

Roedd Dilys yn falch gweld diwedd ar y cyfan.

Pennod 2

i

Pan gyrhaeddodd Dilys y gwaith fore Llun, agorwyd y drws iddi gan Arthur.

'Ma' fo yma,' meddai gan amneidio at ystafell y rheolwr.

'Mi o'n i'n tybio y base fo,' atebodd Dilys a phrysuro at ei safle arferol wedi i Freda wasgu'r botwm i ddatgloi'r drws iddi fedru mynd y tu ôl i'r cownter. Gallai glywed Linda eisoes wrth ei gwaith yn y stafell gefn. 'Be sy ar Linda?' holodd i Bleddyn wrth i hwnnw fynd heibio iddi â phentwr o lythyrau yn ei law.

'Parchedig ofn,' atebodd yntau.

Gwenodd Dilys a pharhau â'i defod foreol o ddadlwytho'r taclau angenrheidiol o'i bag i'w sefydlu ei hun wrth ei desg.

Garfield oedd yr olaf i gyrraedd. 'Ydi o yma?' holodd tra'n dod trwy'r drws. Amneidiodd Arthur at ddrws y rheolwr i gadarnhau hysbysu fod Dafydd yno.

'Damia fo, heddiw o bob bore! Y blydi car ene yn cau tanio,' a phrysurodd i'w safle y tu ôl i'r cownter. 'Diawc i, maen nhw 'di gneud job dda o dacluso ar yn hole ni.'

Llithrodd Freda draw at Dilys a phwyso ar ei theipiadur. Edrychodd o'i chwmpas yn fwriadol ddichellgar a heb edrych yn uniongyrchol ar Dilys dywedodd, 'Maen nhw'n dweud, neu dyna be dw i 'di 'i glywed, 'i fod o,' gan amneidio at ddrws y rheolwr, 'yn, ym . . . yn bwyta plant bach,' a sleifiodd i ffwrdd.

Gwenodd Dilys. Gosododd ei phapur ar ei desg ar ôl ei

34

blygu'n ofalus i ddatgelu'r croesair. Doedd hi ddim wedi cael y cyfle i orffen mwy na dau ateb. 'Flit on cheering angel,' meddai.

'Florence Nightingale,' daeth llais o'r tu ôl iddi.

'Da iawn,' meddai hithau heb droi, a llanwodd y llythrennau yn y bylchau priodol. Trodd i wynebu Dafydd a pharatoi i godi.

'Na, peidiwch â chodi. Oes gynnoch chi restr o gyfweliadau heddiw i mi eto?' Trodd Dilys at ei llyfr nodiadau a rhwygodd ddalen ohono. Sylwodd Dafydd ar y ddau ddarn o bapur carbon dan y ddwy ddalen nesaf yn y llyfr.

'Ddowch chi i mewn am funud?' meddai gan wneud ystum â'i law tuag at ystafell y rheolwr. Cododd Dilys i'w ddilyn gan gymryd ei llyfr gyda hi. Cyn mynd, trodd y swits ar ei desg i drosglwyddo'r galwadau.

'Cadeiriau, dw i'n meddwl,' ebe Dafydd, 'cadeiriau i bawb. Hanner cylch o gwmpas y ddesg.' Edrychodd Dilys arno heb ddeall y gorchymyn. 'Waeth i bawb gael eistedd yn gyfforddus tra rydw i'n siarad,' eglurodd.

Prysurodd Dilys i osod yr amryw gadeiriau oedd yn yr ystafell yn yr hanner cylch y gofynnwyd amdano. Gwyddai y byddai defodau newydd ac y byddai'n rhaid dygymod â nhw. Edrychai Dafydd ar nodiadau wrth ei ddesg tra gwnâi hi hyn.

'Dyna ni,' ebe hi, wedi iddi orffen.

'Reit. Galwch bawb i mewn,' ebe Dafydd ac aeth Dilys allan i gyrchu pawb.

Daethant oll i mewn ac eistedd yn foneddigaidd, ar wahân i Bleddyn a safodd wrth y drws. Roedd fel petai am bwysleisio ei arwahanrwydd. Ef oedd yr is-reolwr, wedi'r cwbwl.

Nid yn y gadair foethus y tu ôl i'r ddesg yr eisteddodd Dafydd ond ar erchwyn y ddesg ei hun. 'Clyfar iawn,' meddyliodd Dilys, 'yn cyfleu awyrgylch anffurfiol ac eto'n cadw pawb yn ffurfiol a thrwy hynny'n tynnu sylw at ei awdurdod.

'Fel y gwyddoch chi, does gennyn ni ddim llawer o amser

ond rhaid i ni gwrdd â'n gilydd yn ffurfiol. Wel, dydi hi ddim yn newyddion i chi taw Dafydd Pritchard ydi f'enw i, y "whizz kid o'r head office", yn ôl a glywais i.'

Ciledrychodd ambell un ar y llall gan ymateb i'r sylw. 'Wel, whizz kid neu beidio, mi ydw i'n gredwr mawr mewn rhoi fy nghardiau ar y bwrdd o'r cychwyn cyntaf.' Troellai feiro ar ei lin fel y siaradai. 'Pan ydych chi'n cwrdd â pherson am y tro cyntaf, yr argraff o'r person sy'n aros ac nid y manylion o'r hyn y mae o wedi'i ddweud, felly wna i ddim manylu gormod; y cwbwl ddweda i ydi y bydd newid, newid yn y banc, newid yn yr agwedd at drin arian, newid yn y dechnoleg ac yn bwysicaf oll, newid yn ein perthynas â'r gymdeithas y tu allan.

'Fel y gwyddoch chi, dyma'r unig fanc yn y dre ac mae gennyn ni rôl arbennig iawn yn natblygiad y lle, a dyletswydd i roi gwasanaeth cyflawn, gwasanaeth sy'n cyd-fynd â gofynion y byd modern. Felly, os oes un gair yn aros yn eich meddyliau chi ar ôl y cyfarfod cyntaf hwn, "newid", ydi hwnnw.

'Rhaid i mi gyfaddef, 'y mod i'n greadur diamynedd iawn. Mae cyfnod arloesol gyda sawl datblygiad newydd ar ddod ac mi ydw i eisiau mynd ymlaen â'r gwaith. Fi ydi'r capten wrth y llyw ac mae'n rhaid iddo gael criw da. O edrych ar eich ffeiliau chi i gyd mi ydw i'n meddwl fod criw da gen i. Mae cyfnod diddorol iawn o'n blaenau ni fel staff ac os down ni drwyddo, gadewch i ni ddweud na wnaiff o ddim drwg o gwbwl i neb. Felly, pan awn ni allan trwy'r drws yna'r bore 'ma, dydi hi ddim yn "business as usual".' Gadawodd ychydig eiliadau i'w sylwadau suddo i ymwy-byddiaeth ei weithwyr cyn ychwanegu, 'Wel, dyna ni a phob lwc i ni i gyd. Dilys a Bleddyn, wnewch chi aros ar ôl am funud neu ddau, os gwelwch yn dda?'

Cododd pawb arall i ymadael wedi cael cryn sioc o achos byrder y cyfarfod ond fel yr aen nhw allan, roedd yr argraff wedi ei hoelio ym meddwl pob un fod y rheolwr newydd yn gwybod yn iawn i ble'r oedd am fynd a gwae'r sawl a groesai ei ffordd. Doedd y manylion ddim wedi aros yng nghof yr un ohonyn nhw, dim ond yr argraff o ddyn hollol bragmatig.

Arhosodd Dilys a Bleddyn. Taclusodd Dilys y cadeiriau i un gornel ac eisteddodd Dafydd yn ei gadair.

'Sawl cownt preifat sy gennyn ni?' gofynnodd Dafydd i Bleddyn.

'Tua mil a hanner.'

'Mae 'na boblogaeth o dros saith mil yn y dre 'ma. Mi ydw i eisio rhestr o bob clwb, pob cymdeithas, pob corff dyngarol, pob gornest a phob cystadleuaeth, boed nhw am docio gwrychoedd neu am falu awyr. Dilys, fyddech chi gystal â pharatoi un i mi?'

'Iawn, Mr. Pritchard.'

'Mi yden ni'n mynd i ddechrau trwy gymryd y banc yma allan o'r pedair wal yma,' dywedodd yn eithaf rhodresgar. 'Dilys,' ychwanegodd, 'mi ydw i eisio rhestr o'r gwerthwyr tai lleol hefyd a threfnwch i mi gael 'u gweld nhw yn ystod yr wythnos yma.'

'Yma neu yno?' holodd Dilys.

'Ar eu patsh nhw, tro cyntaf. Reit, dyna ni. Diolch, Dilys. Bleddyn, eisteddwch i lawr. O, Dilys, dim galwadau am tuag awr o leia.'

Ciliodd Dilys drwy'r drws a'i gau ar ei hôl gan chwythu gwynt o'i bochau mewn ystum o ryddhad. Gwyddai fod y patrwm wedi newid a bod defodau a rhagdybiaethau'r gorffennol yn deilchion.

Roedd gweddill y diwrnod yn ddarlun o ansicrwydd, pawb yn sydyn hunanymwybodol ac yn ceisio dygymod â'r naws newydd, dieithr oedd newydd ddisgyn dros y lle.

Dychwelodd Dilys i sefydlogrwydd ei desg. Roedd golau eisoes yn fflachio ar y switsfwrdd yn mynnu sylw.

'Hello, Dafydd. How's the old complaint?' ebe Karl Waterhouse o rywle yng nghrombil bloc o swyddfeydd yn Bracknell ar y bore Llun canlynol.

'Mustn't grumble,' oedd ateb Dafydd tra'n eistedd yn ôl yn ei gadair yn ei swyddfa. Amneidiodd ar Bleddyn i ymadael. Rhoddodd ei law dros y ffôn a dweud, 'Mi ddown ni'n ôl at hwnna pnawn yma.' Amneidiodd yn y fath ffordd fel na theimlai Bleddyn fod rhyw gyfrinach yn cael ei chadw rhagddo ac ymadawodd yn ddiffwdan.

'Sorry about that, Karl. Had to clear the area, so to speak. Musn't let the hewers of wood and drawers of water know everything, must we. Right, what can I do you for?'

'Just thought I'd let you know the Board's just given us the all clear,' ebe Karl. 'That old bastard Bateman brought them all round.'

'Great! So you're champing at the bit and ready to gallop,' ebe Dafydd â gwên yn lledu dros ei wyneb.

'Too right; that little town of yours isn't going to know what hit it in a few weeks.'

'What swung it in the end?'

'Well, the arrangement with the W.D.A. and the little rates concession you organised for us had a lot to do with it, but the real clincher was when he told them that you were the local B.M. That tax deal you worked out for us when you were in head office impressed a lot of people up here.'

'It was rather good, wasn't it,' oedd adwaith Dafydd.

'You don't fancy swopping sides, do you, and coming to join the real workers?' gofynnodd Karl.

'No, I don't think so, I'm getting to enjoy my local baronial status.'

'Don't get too cocky, Shylock; we'll want our pound of flesh off you once we get the show on the road,' ebe Karl yn hwyliog.

'You can have as many pounds as you like, so long as you pay for them,' oedd ateb chwimwth Dafydd.

'Touché,' atebodd Karl. 'Look, I'm coming up there tomorrow, there's a lot to discuss. Think we can crack a beer or three?'

'*Could be arranged, I think,*' ebe Dafydd.

'*Right then. Give my regards to Lois.*'

'*How many times do I have to tell you she's not Superman's girlfriend?*' oedd sylw Dafydd ar y camynganiad Americanaidd o enw'i wraig.

'*Sorry. I'll get it right one day. Must go. Wheels to deal and deals to wheel and all that. Bye,*' a rhoddodd Dafydd y ffôn i lawr.

Doedd yr un arlliw ar wyneb Dilys wrth iddi hi droi'r botwm ar y switsfwrdd.

iii

O fewn wythnos roedd y newyddion yn y papurau; cwmni cyfarpar cyfrifiadurol Pixel wedi dangos diddordeb mewn agor ffatri ar stad ddiwydiannol newydd yn y Rhewl; aer glân yr ardal yn addas ar gyfer paratoi cyfarpar cywrain. Roedd Pixel yn arloeswyr mewn cynhyrchu disgiau laser oedd yn cwtogi'r amser angenrheidiol i gyrchu gwybodaeth o ffeiliau a gedwid ar ddisgiau cyfrifiadurol, gyda ffatrïoedd yn Dusseldorf, Tucson a Bracknel eisoes. Y bwriad oedd cynhyrchu cyfarpar addas i fath newydd eto o ddisg.

Bu'r cymariaethau disgwyliedig â Dyffryn Silicon, yr Alban a'r gor-ddweud yn anorfod. Nid aeth yn ddisylw chwaith fod Dafydd Pritchard, rheolwr y banc lleol, wedi bod â chysylltiad â'r cwmni o'r blaen. Soniwyd amdano'n hyrwyddo trosglwyddo asedion y cwmni'n ôl i Brydain ac yn arbed cryn swm iddo mewn treth. Pentyrrwyd clod arno a derbyniodd yntau'r cyfan yn dawel.

Roedd pasio'r hawl cynllunio yn anorfod. Byddai unrhyw gynghorydd wedi cyflawni hunanladdiad gwleidyddol wrth bleidleisio yn ei erbyn, â bryd cymdeithas gyfan gymaint ar y cwmni newydd a chynifer o'r trigolion ar y dôl. Ni fynychodd Dilys gyfarfodydd y cyngor pan drafodwyd yr hawl cynllunio; annwyd oedd ei hesgus i'r ysgrifennydd.

39

'Mae'r hen le 'ma'n meddwl 'i fod o'n mynd i fod yn dipyn o swanc,' ebe Liam Murphy wrth Dilys fel y troediai'r ddau'n hamddenol tua'i chartref hi. Roedd diwrnod o waith yn dirwyn i ben i'r ddau ohonyn nhw ar brynhawn hafaidd o hydref wedi i'r newyddion ddod fod y cwmni ar ei ffordd.

'Ydi, am wn i,' atebodd Dilys.

'Mae o'n dipyn o foi,' ychwanegodd Murphy, 'y bòs newydd ene sy gynnoch chi. Heb fod yma fawr ddim ac yn dod â ffatri i'w ganlyn. Dipyn o foi, myn diawl!'

Stopiodd Dilys ac wynebu'r heddwas. 'Mi ydech chi'n dipyn o hen ben pan mae angen cyfri dau a dau.'

'Be ydech chi'n 'i feddwl?' ebe Murphy gan rychio'i dalcen ac edrych i lawr ar ei gyd-gerddwr.

'Wel, mi ydech chi fel arfer yn cael pedwar on'd ydech chi?'

'Wel, mi ydw i'n gneud 'y ngore, welwch chi.'

'Reit,' ebe Dilys, 'tasech chi'n dod ar draws sefyllfa lle roedd yr injan dân yno cyn y tân, mi fasech chi'n amau rhyw ddrwg yn y potes.'

'Baswn,' atebodd Murphy a cherdded ymlaen eto. 'Mi ydw i'n rhyw hanner dallt be ydech chi'n 'i feddwl ond mae'r metaffor braidd yn gymysglyd. Mae'r hen bose croeseirie ene'n gneud ichi ffwndro.'

Arhosodd Dilys a chyda thinc eithaf llym yn ei llais dywedodd, 'Fedrwch chi ddim dweud wrtha i nad oedd rhywun yn gwbod fod hyn yn mynd i ddigwydd, a dydech chi ddim yn anfon ymgynghorydd i wneud gwaith doctor gwlad am ddim rheswm, yn nag ydech?'

'Dilys, mi ydech chi'n siarad mewn anagramau,' ebe Murphy.

'Cymariaethau,' atebodd Dilys wrth iddi droi'r gornel i Bronwydd Street a cherdded oddi wrtho. Gwenodd Murphy ar ei hôl. Gwyddai na thwyllodd ei ffug dwpdra mo Dilys am eiliad a throdd tuag adref.

Agorodd Dilys ddrws ei thŷ a cherdded i'r gegin. Clywai

gripian a mewian wrth ddrws y cefn. Agorodd ef a sleifiodd y gath i mewn.

'Sut mae hi, was? Gest ti ddwrnod da?'

Mewiodd y gath fel petai'n ateb. Daeth cnoc ar y drws ffrynt. Safai Elna o'r drws nesaf yno â pharsel yn ei llaw. 'Mi ddaeth y postman â hwn i chi, Dilys. Mi graeddodd o tua chanol bore. Methu â'i gael o i fewn drwy'r leter bocs, so mi gadawodd o fo hefo fi.'

'O diolch,' ebe Dilys. 'Mi ydw i wedi bod yn disgwyl hwn.' Derbyniodd y parsel oddi wrth yr hen wraig. Gallai weld chwilfrydedd atgas yn ei llygaid a cheisiodd ei anwybyddu. Fe fuasai Elna wedi bod wrth ei bodd yn ei gweld yn agor y parsel ar garreg y drws a datgelu ei gynnwys, ond ni châi'r pleser hwnnw.

'Ydi'r gŵr yn well heddiw?' holodd Dilys.

'Mi oedd o'n reit gwla bore 'ma,' atebodd Elna, 'ond ma' fo 'di criwtio erbyn y pnawn 'ma.'

Diolchodd Dilys unwaith eto a chau'r drws.

Dim ond y gath a gâi'r fraint o wybod cynnwys y parsel wrth fwrdd y gegin. Wedi rhoi'r tegell i ferwi eisteddodd. Roedd marc post Llundain yn dod ag atgofion iddi ond gwthiodd hwy o'r neilltu a rhwygo'r amlen â blas. Tynnodd y clawr plaen oddi amdano. Arno roedd y ffaith foel *THESIS No. 2964 Reading University.'* Disgynnodd nodyn byr ar y llawr wrth iddi wneud hyn. Cododd ef a'i ddarllen.

Dear Dilys,

The favour you asked for, not the original, no need to return.

Thought you should know: H.B. has taken Helen on as his P.P.S., couldn't block it, devious old bastard, never learned how to lose did he? And he obviously hasn't forgotten. Coincidence? You must be joking!

Yours

B

Darllenodd yr ail baragraff dair gwaith cyn rhoi'r llythyr i lawr. Edrychodd yn hir wedyn ar wal y gegin. Trodd ei sylw

41

at y ffeil ac agorodd y ddalen flaen. Arni mewn llythrennau
bras roedd y geiriau:

*A STUDY IN COMPUTER SIMULATION OF MACRO-
ECONOMIC THEORY.*

By DAFYDD PRITCHARD.

Erbyn hyn roedd y tegell yn berwi.

v

Roedd y mis wedi bod yn hir a'r dyrnu a'r drilio'n dod i ben.
Roedd aroglau paent yn hongian yn yr awyr ond roedd nifer
y gweithwyr yn llai a gellid dweud oddi wrth eu hymddygiad
taw trin manion oedden nhw bellach.

O fewn y mis, gweddnewidiwyd y tu mewn i fanc y Rhewl.
Digwyddodd y gweddnewid ideolegol ryw flwyddyn cyn
hynny gyda dyfodiad Dafydd Pritchard ac yn awr, wrth
gerdded trwy'r pyrth, gwelid gwireddiad corfforol y gwedd-
newid. Tynerwch oedd thema pob rholyn o bapur wal, pob
darn o ddodrefn, pob potyn blodau. Hygyrchedd clên, anffurfiol
oedd thema'r cynllun gweithio agored. Gwir fod y ffenestri
diogelwch yn dal i fod ar y cownteri ond symudwyd desgiau'r
staff, a arferai fod y tu ôl iddyn nhw, allan i'r neuadd lle'r
arferai pobl aros, ac i ran o'r banc a agorwyd fel estyniad i'r
neuadd; y cyfan i roi'r teimlad taw lle i gyfathrachu, lle i
gwrdd, lle i drefnu oedd y banc yn hytrach nag adeilad ar
gyfer cyflawni gorchwylion cyfalafol. Nid lle i godi arswyd
ar yr ifanc a'r hen oherwydd ei ffurfioldeb oedd o bellach.
Eto, er yr anffurfioldeb, ceid argraff fod rhyw gryfder
cynhenid yn bodoli yn y cefndir. Roedd y cryfder yn
encilgar, ond yn fwy grymus o'r herwydd. 'Mae cryfder nad
oes rhaid brolio yn ei gylch bob amser yn creu mwy o
argraff,' meddyliodd Dilys wrth daflu llygad dros y gwaith
mewn ennyd o heddwch.

Hi a Freda oedd yr unig ddwy a arhosodd yn eu safleoedd, heblaw am y gweithwyr ar y cownter. Roedd gan Bleddyn ac Arthur ddesgiau'r tu allan, ynghyd â dau o dri aelod o staff newydd a ddaeth i helpu gyda'r cynnydd sylweddol a fu yn y busnes; un i ganolbwyntio ar fuddsoddiadau a chysylltiadau â'r gymdeithas, a'r llall i drefnu arwystlon. Merch hynaws, landeg, ddeallus oedd y gyntaf o'r rhain. Mererid oedd ei henw, yn raddedig o Hull ac wedi dewis dod adref i'w chynefin. Winstone oedd y llall, Sais o Amwythig ond un a oedd wedi gwneud ymdrech deg i ddysgu Cymraeg ers iddo ddod; dyn canol oed oedd, wedi trosglwyddo o gymdeithas adeiladu er mwyn rhoi tipyn o hwb i'w yrfa.

Yr unig rai na welid mohonyn nhw oedd Linda a'i chydymaith a symudwyd i'r llofft. Bu raid cael rhywun i'w helpu a daeth Leyton, llanc tuag un ar hugain oed o'r Rhyl i'r swydd. Gallai'r ddau weithio mewn tawelwch fry, y drws nesaf i'r lolfa a addaswyd yn bwrpasol, lle y gallai'r staff ymlacio. Yr unig newid arall a fu, oedd i Garfield adael am diroedd newydd yn y De, a disgwylid i un neu ddau ymadael yn y dyfodol agos wedi i sawl un gael canlyniadau ei arholiadau dyrchafiad.

Roedd swyddfa'r rheolwr yn yr un lle. Yr unig wahaniaeth amlwg oedd yr arwydd dwyieithog ar y drws. Plesiai dwyieithrwydd swyddogol newydd y lle Dilys. Ni fu Gwilym yn fawr o gredwr mewn dod ag iaith y nefoedd yn ffurfiol i fyd busnes. Ond mewn cilfach nid nepell o'r arwydd, llochesai camera bychan gyda'i olau coch a'i lygad amhersonol yn symud yn ôl ac ymlaen yn rhyddmig araf, gan gadw golwg ar y gweithgarwch islaw. Byddai'r hyn a welai ef a dau gamera arall yn cael ei recordio ar beiriant fideo mewn ystafell gloedig yn y cefn, peiriant a recordiai'r tri llun ar yr un pryd gan barhau i ffilmio ac ailweindio. Lleolid un o'r ddau gamera yn yr estyniad newydd â'r llall yn swyddfa'r rheolwr ei hun. Gellid trosglwyddo'r lluniau i dŷ'r rheolwr. Roedd y cyfan i geisio rhwystro unrhyw anfadwaith a dal drwgweithredwyr, gan i sawl lladrad ddigwydd yn ddiweddar o faniau tra trosglwyddid arian o swyddfeydd post a banciau, a hynny mewn ardaloedd gwledig yn ogystal ag mewn trefi, ond nid teimlad o ddedwyddwch a roddai'r camerâu i Dilys.

Doedd safle ei desg ddim wedi newid, ond arni roedd toreth o gyfarpar electonig newydd; prosesydd geiriau ac argraffydd laser. Roedd ganddi switsfwrdd a ffôn newydd; peiriant cofnodi galwadau ac un ar gyfer arddywedyd wedi ei gysylltu â phedal bychan ar y llawr. Doedd ganddi hi mo'r cysylltiad cyfrifiadurol oedd gan bawb arall ar ei ddesg, a da o beth oedd hynny, neu fyddai dim digon o le wedi bod i'r *Guardian* a'i phecyn sigaréts.

'Faint ydech chi'n feddwl mae hyn i gyd wedi gostio?' ebe Freda o'r ddesg gyfagos o weld Dilys yn edrych braidd yn llygadrwth ar y cyfan.

'Lot,' oedd ei hateb.

'Be ydw i'n fethu dallt,' aeth Freda ymlaen gan ddechrau edrych yr un mor llygadrwth o'i chwmpas, 'ydi sut bod fan hyn yn cael yr holl sylw. Dydi bancie erill yn y cyffinie ddim wedi gweld dim gwell na rhywun yn dod i newid plyg a ninne'n edrych fel Mission Control mewn siop trin gwallt.'

'Ti'n gwbod be, Freda,' ebe Dilys, 'mae'r cyfan fel tase fo'n anonest rywsut.'

'Sut dach chi'n feddwl?' holodd Freda.

'Wel mae'r cyfan yn fan acw,' a phwyntiodd Dilys at y desgiau cynllun agored, 'yn cyfleu'r gentle touch, ond mae hwnna,' gan gyfeirio at y camera, 'yn dweud wrtha i fod yna yfflon o golyn yn disgwyl yn rhywle.' Edrychodd Freda ar Dilys yn y fath fodd nes peri iddi deimlo y dylai ymhelaethu. 'Deud ydw i fod yr hen gyfundrefn yn ei ffordd ei hun, efo'i lloriau marmor â'i barrau â'i drysau derw trwm yn dweud wrth bobol taw gwneud pres ydi busnes banc yn gyntaf a bod yn wasanaeth cymdeithasol yn ail. Ofn sy arna i na fydd pobol yn gweld hynny wrth eistedd yn y fan acw yn y *boudoir* ac y cân nhw yfflon o sioc pan sylweddolan nhw.'

'Ia am wn i,' ebe Freda'n feddylgar. 'Ond pam ni?' ychwanegodd wedyn.

Nid atebodd Dilys. Gwyliai Freda hi'n trin y dechnoleg

44

newydd yn hollol naturiol fel y gwnaethai bob dydd ers iddo ddyfod. Gwyddai i Dilys ei thrwytho ei hun yn y llawlyfr cyn cael ei switsfwrdd a'i phrosesydd geiriau, ac wedi iddyn nhw gyrraedd, byr iawn fu ei chyfnod o ymgynefino â'r 'tranglins newydd', fel y galwai hi nhw. Hi oedd yr orau am ddygymod â'r drefn newydd hefyd er taw hi oedd â'r mwyaf i ddygymod ag ef. Ni chwynodd, er cymaint fu'r gostyngiad yn ei statws. Mwyach ni elwid arni i ddod i ystafell y rheolwr i roi ei barn. Disgwylid iddi drosglwyddo i eraill unrhyw fater a alwai am farn. Roedd yn ddolen gyswllt â'r byd tu allan, a dyna i gyd. Wedi'r cyfarfod cyntaf hwnnw tynnodd ei llaw oddi ar y llyw a mynd i'r sedd gefn

Âi i swyddfa'r rheolwr gyda rhestr o ofalon y dydd pan elwid arni a chyflwynai ei lythyrau iddo, yn union fel yr arddywedodd nhw, ar ddisgen gyfrifiadurol. Doedd dim angen iddi gymoni'r mynegiant fel y gwnâi gynt. Ni fyddai mwyach yn rhoi ei phig i mewn yn ddiplomataidd i dorri ar sgwrs gyda chwsmer. Ni fynnodd sylw, ac o'r hyn a welai Freda, nis cafodd chwaith.

Gwenodd Dilys arni wedi iddi ateb galwad ffôn. Doedd dim rhaid iddi ddiosg y ffoniau clust i barhau i wrando a phrosesu geiriau.

vi

Roedd hi'n flwyddyn gron ers i Dafydd ddod i'r banc cyn i'r cyfan ddod i drefn, ar y seithfed o Ebrill. Yn ystod y chwe mis blaenorol bu cryn baratoi. Rhoddwyd y caledwedd yn ei le'n fuan ond rhaid oedd dysgu sut i'w ddefnyddio. Aeth y staff i gyrsiau a seminarau a hyfforddiant mewn swydd. Bu penwythnosau mewn canolfannau technoleg i chwarae gêmau sefyllfaoedd, i fysellu ac i ddadansoddi. Yna, wedi'r holl baratoi, trowyd y peiriannau ymlaen a daeth bywyd gwyrdd i bob sgrîn oedd wedi ei lleoli mewn encil bwrpasol yng nghorff pob desg, ac wedi ei gogwyddo oddi wrth y cwsmer.

45

Ni fu'r camau cyntaf yn hollol esmwyth ac aeth wythnosau heibio cyn i dechnegwyr o'r swyddfa ganolog lwyddo i ymlid pob byg o'r system.

Roedd Dilys yn ffodus nad oedd hi'n rhan o'r cyfan. Doedd hi a'i thechnoleg ddim ond yn ymylol i'r busnes o gysylltu'r rhwydwaith gyfan ac roedd ei hynys hi wedi bod yn gweithio ac wedi cael ei meistroli ers talwm. Gallai wylio'r pendroni a'r crafu pen o'i chwmpas gan wenu. Ond aeth â llawlyfr un o'r technegwyr adref gyda hi un noson, wedi i hwnnw ei adael ar ôl. Gofalodd ei ddychwelyd trannoeth cyn i neb weld ei eisiau.

Roedd y dref wedi bod yn paratoi ac yn addasu ar gyfer dyfodiad y cwmni newydd. Gorffennwyd yr addasiadau a'r estyniad i'r unedau ar y stad ddiwydiannol o fewn tri mis ac erbyn diwedd y gwanwyn roedd y cyfarpar a'r peiriannau'n llifo ar lorïau drwy'r gatiau.

Roedd nifer o stadau bychain wedi dechrau codi o gwmpas yr ardal ac arnyn nhw dai o amrywiol faint, pob un wedi ei werthu cyn iddo gael ei orffen, fel y broliai Rob Machin, adeiladwr lleol, un noson yn y clwb golff. Ddechrau'r haf dechreuodd y trigolion newydd fyw ynddyn nhw. Roedd sôn bod Tesco yn ceisio prynu darn o dir i adeiladu arno ac roedd y Co-op wedi rhoi tipyn o liw yn y ffenestri. Roedd Byron Lloyd wedi prynu dau fws newydd a'r George a chaffe Rabbiotti wedi cael caniatâd ar gyfer cynlluniau am estyniadau a sawl busnes bychan arall yn bwriadu ymestyn fel y gallai gyfrannu o'r arian newydd oedd yn dod i'r dref. Ac aeth ciw'r dôl yn llai o gryn dipyn.

'Mae ene ryw dderyn bach wedi dweud wrtha i fod ene fanc arall wedi bod yn sôn am agor rywle yn y dref yma,' ebe Freda gan edrych heibio i'r sgrîn ar ei desg un bore. 'Mi roith hynny dipyn o sbaner yn 'i wyrcs o.'

'Dim peryg o gwbwl,' atebodd Dilys gan barhau i edrych ar y croesair ar ei desg. 'Dim peryg o gwbwl.'

'Be ydech chi'n feddwl?'

'Mae o wedi gweld y sbaner yn dod ers tro a mae'r wyrcs yma mor gadarn fel na chaiff yr un sbaner fawr o effaith arnyn nhw. Mae pob dime goch sy'n mynd a dod drwy'r dref, o bob cownt busnes neu breifat, yn pasio drwy'r banc yma a dydi pobol ddim yn newid 'u bancie, yden nhw?'

'O,' oedd unig ymateb Freda.

vii

Eisteddai Linda yn lolfa'r staff yn edrych ar ei bys bach tra hwyliai Leyton gwpanaid o goffi i'r ddau. 'Ti'n gwbod be,' meddai, 'mae'r bys bach yma'n trio deud rhwbeth wrtha i ac mi ydw i'n dallt yn iawn be ydi o. Mae o'n nacyrd, yn hollol nacyrd! Mae o 'di bod yn mynd i fyny ac i lawr ar y keyboard ene trwy'r dydd ac ma' fo'n deud wrtha i 'i fod o 'di cael digon. Ma' fo'n fed up.'

'Siwgwr neu Sweetex heddiw?' holodd Leyton.

'Siwgwr,' atebodd Linda gan barhau i edrych ar ei bys. 'Mae gen y cradur bach angen yr egni. Ma' fo 'di bod yn dawnsio fel fflamie ar hyd y keys ene ddwywaith mor gyflym ag oedd o'n arfer gneud, yn trio gneud argraff ar bob Tom Dic a Harri sy wedi dod i sbian arnon ni o'r head office, a ma' fo isio cysgu.'

Gwnaeth berfformiad o roi ei bys bach i gysgu ar gledr ei llaw a chau ei bysedd yn gwrlid amdano.

'Ti'n gwbod be,' ebe Leyton wrth estyn ei chwpanaid iddi, 'ti'n medru malu lot o awyr.'

'Ydw, mi ydw i'n gwbod ond ma' fo'n therapi da, felly gwranda,' ac aeth ymlaen â'i hymson tra caeodd Leyton ei lygaid arni yn y sedd gyferbyn.

'Ti'n gwbod am y steroids 'na ma' rhedwrs a bobol felly'n 'u cymryd i'w gwneud nhw'n gryfach ac yn fwy cyflym.'

Nodiodd Leyton.

'Wel, wyt ti ddim yn meddwl y dylen ni ddechre'u cymryd nhw cyn i SCEP ddod i mewn wythnos nesa? Mi fedra i 'i weld o rŵan yn fflachio ar y sgrîn, *"Your computer rating this week is fifty two per cent, which indicates that you are a lazy cow and that you're not working hard enough".'* Oedodd am eiliad cyn i syniad arall ddod i'w phen a pharhaodd, 'Eniwe, mae'r blwmin dre 'ma fel tase hi ar steroids ers i'r ffatri newydd yma ddod, ers i'r manijar newydd yma ddod, o ran hynny. Pawb yn chwyrlïo o gwmpas fel tase gynnon nhw ddim amser i neb, yn prynu hyn ac yn prynu'r llall. Mi fydd yn rhaid i ni ddechre'u cymryd nhw i gadw i fyny hefo nhw.' Oedodd eto i gael ei gwynt cyn cau ei llygaid ac eistedd yn ôl yn ei chadair. 'Steroids, anabolic steroids, dyna'r ateb.'

'Ond maen nhw'n gneud i ferched dyfu barf,' meddai Dafydd o'r tu ôl iddi, 'a wnâi hynny mo'r tro o gwbwl.'

Aeth at y sinc a golchi gweddillion ei goffi o'i gwpan cyn mynd yn ôl i lawr y grisiau. Suddodd Linda i'r llawr ac esgus chwilio am le i guddio rhwng gwead y carped.

viii

Roedd SCEP (Staff Computerised Efficiency Profile), wedi bod yn gweithio ers mis a'r wybodaeth wedi dechrau dangos patrwm ystadegol o effeithlonrwydd y banc. Yn ddiarwybod i'r staff, roedd hefyd yn adrodd am eu heffeithlonrwydd fel unigolion, ond roedd pawb yn amau hynny beth bynnag.

Eisteddai Dafydd wrth fwrdd y gegin yn dadansoddi allbrint o'r wybodaeth un bore Sadwrn tra piciai Lois yn ôl a blaen i roi dŵr i'r blodau yn y border wrth y drws cefn. Roedd rhywbeth yn ei chythruddo ond daliai Dafydd i edrych ar y rhuban papur o'i flaen.

'Mae'r hen gnawes yn dda, weldi,' ebe Dafydd, pan ddaeth Lois i mewn yn cario'i chan dŵr at y tap.

'Gad i mi feddwl, y fenyw drws nesa? Na, Margaret Thatcher? Na, smo fi'n seicic. Ti'n mynd yn waeth, sbo. Mae'r olwynion bach yna'n mynd rownd yn dy ben di a tithe'n meddwl fod pawb arall yn gwbod yn iawn beth maen nhw'n wneud.'

'Sôn am Dilys yn y banc o'n i.'

'Odi, mae hi'n ffantastic, yn grêt. Nawr te, fi'r wyt ti wedi

48

briodi ac nid y banc a chofia'i bod hi'n digwydd bod yn ddydd Sadwrn a mae'r blydi banc ar gau.'

'Ar hyn o bryd, ydi,' ebe Dafydd. Trodd Lois yn araf ato o'r sinc gan adael i'r dŵr redeg.

'Ma' fe'n mynd i agor ar ddydd Sadwrn yw e?'

'Ydi.'

'Grêt. Dyna ddydd Sadwrn lawr y sbowt.'

"Cynnydd, cariad. Ddim bob dydd Sadwrn, beth bynnag, a sôn am sbowt, mae'r can yn llawn.'

Trodd Lois i droi'r tap. Cydiodd yn y can yn ddiamynedd a'i gario'n ddiseremoni ar draws y gegin gan slotian dŵr ar y llawr. Gollyngodd ef ar y tamaid concrid a rhoi cic mileinig iddo nes bod dŵr yn tasgu ohono. 'Shit' meddai cyn eistedd ar riniog y drws cefn a dechrau crio.

'Blydi shinanigans diawl,' meddai Dafydd. Oedodd eiliad cyn codi a dod i benlinio wrth ei hochr a rhoi ei fraich dros ei hysgwyddau.

'Cer oddi wrtha i'r diawl. Cer at dy fanc os yw e mor blydi gwerthfawr i ti.'

Ar hynny daeth Euros i mewn, wedi clywed y sŵn.

'Beth sy'n bod ar Mam, Dad?'

'Wedi brifo'i throed ar y can dŵr. Rŵan te, cer yn ôl at dy chwaer ac edrych ar y teledu.'

'Dyna'r ateb, yntefe?' meddai Lois, 'ein hanfon ni i edrych ar y teledu; ein hanfon ni i rywle arall, i rywle sy'n gyfleus.'

'O, paid â bod yn wirion. Dim ond dweud fod y banc yn mynd i agor ar ddydd Sadwrn wnes i. Doedd o ddim yn achos dros gyhoeddi rhyfel.'

'Dydw i ddim yn sôn am y blydi banc yn agor ar ddydd Sadwrn. Dim ond un peth yw hwnna; un peth bach. 'Smo ti'n gweld, wyt ti. Smo ti'n gweld ymhellach na dy drwyn.'

Cododd a hebrwng Euros i'r ystafell arall. Clywodd Dafydd hi'n cau'r drws yn glep a sŵn y teledu'n chwyddo. Arhosodd am funud i reoli'i dymer. Doedd dim amynedd ganddo â diffyg rheswm. Cododd y can dŵr a'i roi'n ôl ar y sinc yn y gegin.

Bu'r distawrwydd yn fyddarol drwy'r dydd nes yn sydyn, fin nos, cododd Lois ei phen tra'n eistedd yn y lolfa.

'Beth am Dilys, te?' Roedd hi'n feistres ar ailgydio mewn sgwrs fel pe na bai dim wedi digwydd yn y cyfamser.

'Mae hi'n dda,' eglurodd heb roi gormod o frwdfrydedd yn ei lais.

'Ond dim ond gweitho ar y switsfwrdd y mae hi,' ebe Lois.

'Ac yn ysgrifenyddes i mi.'

'Wel, be sy'n gwneud i ti sôn amdani nawr?'

'O'n i'n gwbod 'i bod hi'n dda ond do'n i ddim yn sylweddoli pa mor dda. Mae ei ratings hi ar allbrint y SCEP yn berffaith bob tro. Gan ei bod hi'n un o'r hen ddwylo mi oeddwn i'n meddwl y base hi braidd ar goll, ond fel arall y mae hi.'

'Mae hi'n swnio'n dipyn o fenyw.'

'Tipyn o fenyw, myn diawl i. Mi rydw i wedi lluchio digon o waith ati'n ddiweddar i sigo unrhyw ysgrifenyddes, ond mae ganddi'r amser i wneud croesair y *Guardian* yn ystod amser gwaith.'

'Ddylet ti ddim dweud wrthi?'

'Dydi athro ddim yn ypsetio top y dosbarth pan mae o'n cael canlyniadau da. Mi ydw i'n cael yr argraff taw hi oedd y grym dan yr hen oruchwyliaeth, a dydi hi ddim yn taro deuddeg rywsut fod cyrnol yn troi yn breifat cystal. Mi oeddwn i'n gwbod 'i bod hi'n glyfar ond mi ydw i'n dechre ame'i bod hi'n gythgam o gyfrwys hefyd.'

'Dyna fe felly, y patrwm, y fframwaith i'r theori. Smo ti'n hoffi i enigmas amharu ar ddim, wyt ti? Wel, pob lwc iddi, ddweda i. Falle caiff hi well hwyl arni nag a ges i.'

Barnodd Dafydd taw doethach oedd peidio ag ymateb. Bu'r diwrnod yn fwrn. Doedd ganddo mo'r amynedd am frwydr arall.

Y bore dydd Mawrth canlynol eisteddai Dilys wrth ddesg Dafydd. Gwyddai y byddai'r peiriant recordio'n cofnodi pob eiliad o'i harosiad yn y swyddfa ond nad edrychid ar y tâp oni fyddai lladrad. Dechreuai recordio am naw bob bore. Roedd hi nawr yn hanner awr wedi deg. Parhâi pob tâp am dair awr a byddai'n ailrecordio dros yr hyn a dâpiwyd eisoes erbyn un o'r gloch pan ddisgwylid y rheolwr yn ôl. Gallai fod wedi diffodd y camera ond dewisodd beidio.

Eisteddodd yn sedd Dafydd a throi'r sgrîn ychydig tuag ati. Cododd y llygoden o'i chrud ger y sgrîn a'i gosod ar y mat. Cododd ffôn y ffacs a deialu prif gyfrifiadur y banc canolog; yna gosododd y ffôn yn y crud arbennig yn y ffacs a gysylltai'r cyfrifiadur hwnnw â'r un ar y ddesg o'i blaen. Roedd hi wedi gweld Bleddyn yn gwneud hyn sawl gwaith ac yntau'n dadlwytho gwybodaeth o'r cyfrifiadur canolog i ddisgiau ar gyfer cyfrifiadur y banc. Doedd dim angen côd arbennig a throsglwyddid yr wybodaeth mewn byr amser.

Roedd y côd yn cael ei newid bob wythnos. *SPIRO* oedd côd yr wythnos hon i gael gafael ar *BANKLOG* ond nid dyna'r un a fynnai Dilys ei ddefnyddio gan y gwyddai fod llwybr arall i'r un wybodaeth. Roedd y ffordd gefn honno ar agor bob amser, dim ond darganfod y côd oedd ei angen i'w agor.

'Sut fasa fo'n meddwl?' meddyliodd.

Teipiodd LOIS i mewn i'r cyfrifiadur ac aros i'r llwybr arall agor.

'BAD CODE. TRY AGAIN' . . . ebe'r sgrîn wrthi.

'YOU HAVE THREE TRIES BEFORE ACCESS IS RENEGOTIATED' . . . meddai wedyn.

'Wel wel, dydi pethau ddim mor hawdd, ydyn nhw hogan,' ebe Dilys yn dawel wrthi'i hun. Eisteddodd yn ôl a chwythu gwynt o'i bochau. Bu bron iddi ddatgysylltu'r cyfan i gael cyfle i ailfeddwl. Yn sydyn cofiodd am Florence Nightingale. 'Mae ganddo fo feddwl croeseiriwr go dda. Beth am anagrams?'

Ysgrifennodd y gair LOIS mewn cylch ar ddarn o bapur. Oddi tano ysgrifennodd SOIL SILO SIOL OILS.

Teipiodd SOIL, a daeth yr un neges yn ôl iddi eto, ond y tro hwn hysbysodd bod dau gyfle arall ganddi.

Penderfynodd Dilys roi un cynnig arall arni. Ni allai fforddio pedwerydd camgymeriad gan y byddai'r ailnegydu'n datgelu ei dichell trwy gloi'r rhaglen.

Teipiodd OILS i'r cyfrifiadur, ac wele ddoethineb BANKLOG yn llifo o'i blaen ar y sgrîn; pob siec a dalwyd, manylion am bob cyfrif ac archeb, pob buddsoddiad a phob benthyciad, ond nid yno y mynnai hi fod a gwasgodd ESCAPE.

Gwyddai nawr fod y llwybr cyfrin yno. Cododd i edrych trwy ddrws y swyddfa. Parhâi dwndwr arferol y banc.

Trodd yn ôl at y ddesg. Ar yr un darn o bapur ysgrifennodd y geiriau SIAN ac EUROS mewn dau gylch bychan ac aros i feddwl. Ni allai gael unrhyw air o synnwyr allan o EUROS ond ROUSE. Tybiai taw yn Saesneg y byddai unrhyw anagram gan i OILS weithio.

Fel croeseiriwr sy'n gweld ateb, dim ond am fod popeth yn ffitio ond heb wybod yn union pam, ysgrifennodd ANIS OILS ROUSE ar y pad o'i blaen, yna teipiodd ANIS i'r cyfrifiadur. Ymatebodd y sgrîn yn syth bin â ffeithiau am y staff a holl wybodaeth SCEP. Cafodd ei themtio i ymholi am ffeithiau amdani hi, ond doedd hynny ddim yn bwysig am y tro.

Gwasgodd ESCAPE, yna ROUSE, a daeth y cyfan ô'i blaen. Dyma lle y mynnai fod.

Daeth y geiriau

MECOMP :- Y RHEWL PROJECT SCENARIO

o flaen ei llygaid.

Byddai wedi hoffi aros i chwilota ymhellach ond digon i'r diwrnod . . .

Gwasgodd ESCAPE a diffodd y peiriant. Gadawodd y swyddfa gan wybod y gallai ddychwelyd i'r rhaglen rywbryd eto.

'Fyddan nhw byth yn eich colio chi?' holodd Dilys tra'n pwyso yn erbyn wal gardd Seimon, safle oedd yn barchedig bell o'r cwch gwenyn. Safai Seimon ger y cwch yn ei fenig a'i het wenynwr a'i chwistrell fwg yn codi'r haenau o fêl a chwyr fesul un. Er bod rhwyd dros yr het i gadw'r gwenyn rhag colio'i wyneb, roedd tipyn o'r croen yn y golwg.

'Weithie,' oedd unig ateb y garddwr.

'Wel, pam na rowch chi'r rhwyd ene i lawr i'w rhwystro nhw?'

'Methu gweld.'

'O,' ebe Dilys gan barhau i edrych yn llawn diddordeb ar pa mor ddeheuig a hyderus yr oedd y garddwr wrth ei waith.

'Maen nhw'n eich nabod chi'n reit dda erbyn hyn, siŵr braidd,' ebe hi wedyn.

'Yden, am wn i,' atebodd Seimon wrth roi un o'r haenau yn ôl yn ei lle a chodi un arall gan ddangos y gaenen ddu o wenyn ar ochr yr haen yn ferw o symud, a phob gwenynen ar ei pherwyl ei hun ond eto yn gwybod am ei lle yn y patrwm cyfan.

Craffodd Seimon ar yr haen, ac wrth iddo wneud hynny cododd ychydig o'r gwenyn a glanio ar ei war. Rhaid eu bod nhw wedi ei golio oherwydd rhoddodd yr haen yn ôl yn frysiog a chwipio'i war i'w symud. Rhwbiodd y croen yn ffyrnig wedyn.

'Eitha gwaith, ddweda i,' ebe Dilys gan wenu. 'Falle y dysgwch chi ddefnyddio'r rhwyd ene am eich pen o hyn ymlaen.'

Gosododd Seimon y to'n ôl ar y cwch a mynd i'r tŷ gan barhau i rwbio'i war. Dilynodd Dilys ef. 'Ydech chi'n iawn, dudwch?' ebe hi.

'Ydw, damia nhw!' atebodd Seimon gan fynd i'r cwpwrdd dan y sinc a chymryd bag lliw glas ohono, ei wlychu dan y tap a'i rwbio ar ei war.

'Gadewch i mi wneud hynna i chi,' ebe Dilys gan gymryd y bag o'i law a rhwbio'r trwyth i'r fan oedd erbyn hyn yn dechrau cochi a chwyddo. Gallai weld ôl pum colyn mewn cylch oedd bron yn berffaith ar ei war.

'Wn i ddim be sy arnyn nhw'r dyddie 'ma,' ebe Seimon. 'Dyna'r ail dro yr wythnos hon iddyn nhw fynd amdana i. Ylwch, cymerwch y wlanen a gwasgwch y bag iddi hi, newch chi, ac mi ddalia i hi ar 'y ngwar.'

Gwnaeth Dilys hynny a daliodd y garddwr y wlanen ar y chwydd oedd yn amlwg yn boenus.

'Wel, chi sy ar fai'n peidio gwisgo'r rhwyd ene yn iawn,' meddai Dilys a dechrau hwylio cwpanaid o de iddo.

'Ia am wn i,' atebodd, 'ond dydi hyn ddim wedi digwydd o'r blaen.'

'Peidiwch â deud wrtha i na chawsoch chi mo'ch colio ar hyd yr holl amser yr ydech chi wedi bod yn cadw gwenyn.'

'O do,' atebodd Seimon, 'ond ddim fel hyn, a ddwyweth mewn wythnos. Mae chwydd y llall gen i o hyd. Ylwch!' Dangosodd chwydd yn agos at ei benelin ar ei fraich chwith. 'Mi oedd ene wyth o'r diawlied wedi mhigo i yn fanne fore dydd Llun dwetha.'

'Wel, ddylech chi ddim torchi'ch llewys,' ebe Dilys.

'Na, ddylwn i ddim am wn i, ond dydi o ddim yn normal welwch chi, ddim yn normal o gwbwl. Welwch chi'r cwch acw yn fan acw? Wel, ma' hwnna 'di bod gen i ers tuag ugain mlynedd ac mi dw i wedi dod i'w nabod o'n reit dda.'

'Mi rydech chi'n siarad fel tase'r cwch 'i hun yn fyw.'

'Wel mi fedrech chi ddeud 'i fod o. Mae gan bob cwch ei gymeriad ei hun. Faswn i byth yn meiddio ymhel â chwch neb arall am nad ydw i'n 'i nabod o.'

Doedd y colyn yn amlwg ddim yn ysu cymaint erbyn hyn, a'r bag lliw glas wedi dechrau cael effaith. Parhaodd Dilys i hwylio te a pharhaodd Seimon i siarad yn synfyfyriol.

'Mi ddarllenes i'r llyfr 'ma am wenyn gan ryw broffesor o Merica dipyn yn ôl, ac mi roedd o'n deud rhwbeth tebyg. Roedd o'n deud taw darn o'r un corff ydi pob gwenynen ac mai'r cwch ydi'r corff.'

'Sut hynny?' holodd Dilys wrth arllwys te i'r ddwy gwpan ar y bwrdd.

'Wel, mae gynnon ni gyrff ond oes?' ebe Seimon.

'Oes, ond eu bod nhw'n heneiddio dipyn.'

'Wel, mae gynnon ni ddarne o'r hen gyrff yma sy'n gneud gwaith arbennig, on'd oes, a hebddyn nhw, fase'r corff cyfan ddim yn gweithio fel y dyle fo.'

'Oes,' ymatebodd Dilys.

'Wel, mae'r cwch ene yr un fath. Mae ene ddarne sy'n mynd i nôl bwyd ac yn dod â fo'n ôl, fel ni yn mynd i siopa ac yn codi bwyd o'r silffoedd ac yn y diwedd yn ei roi o yn ein cega ni. Wel, yr hen weithwyr ydi'r rheini. Maen nhw'n mynd i flodau'r meysydd ac yn dod â beth bynnag fwyd sy'i angen ar y pryd yn ôl ac i mewn i fol y cwch â fo. Mae ene rai y tu mewn i fol y cwch, y gweithwyr ifanc, yn defnyddio'r bwyd i neud pethe eraill, i neud beth bynnag sy ar y corff 'i angen, cwyr, mêl, bwyd i'r cynrhon. Maen nhw'n tacluso, yn adeiladu ac yn peri i'r cyfan weithio.'

'Bobol!' ebychodd Dilys.

'Ac wedyn ma' gynnoch chi atgynhyrchu. Yr hen frenhines, dim ond un, cofiwch chi, a diawci, dene gymeriad ydi honno. Ma' ganddi osgordd o gariadon i edrych ar 'i hôl hi.'

Winciodd yn gellweirus ar Dilys a gwenodd hithau arno. 'Y cwbwl mae hi'n 'i neud ydi dodwy wye fel fflamie ac mae'r gweithwyr yn edrych ar ôl 'i phlant drosti hi. Maen nhw'n cymryd yr wye i'w deor nhw ac yn 'u bwydo nhw, pob un yn 'i focs bach 'i hun tan mae ene gynrhonyn ac wedyn yn biwpa ac wedyn yn wenynen newydd.'

Ni ddywedodd Dilys ddim rhag tarfu ar huodledd y garddwr.

'W chi be, os oes galw am fath arbennig o wenynen, ac mae ene dri math mewn cwch, y cwbwl maen nhw'n 'i neud ydi bwydo'r cynrhonyn efo bwyd gwahanol i gael gweithiwr neu wryw neu frenhines, yn ôl y galw. . . Mi fydda i wrth 'y modd yn 'u watsio nhw wrth geg yr cwch ar ddiwrnod poeth o ha. Maen nhw'n sefyll yn fanno yn chwifio'u hadenydd fel randros i gadw'r cwch yn cŵl. Maen nhw fel ysgyfaint i'r cwch ac yn cymryd shiffts i neud y gwaith. Maen nhw'n glyfar hefyd, cofiwch. Pan ddaw gwenyn yn ôl i'r cwch wedi ffeindio blode reit dda, maen nhw ar dân i ddeud wrth y lleill sy ar fin gadel. Maen nhw'n ysgwyd 'u penole i ddangos y ffordd iddyn nhw.'

'Dewcs,' ebe Dilys. 'Yfwch eich te cyn iddo fo fynd yn oer.' Oedodd ennyd cyn gofyn, 'Be sy'n bod ar y cwch rŵan te?'

'Wel, dydw i ddim yn rhy siŵr, rhaid i mi gyfadde, ond mi ydw i'n ame fod rhyw rog wedi mynd i mewn. Dene be oeddwn i'n edrych amdano fo gynne ond ma' fo'n gythgam o anodd i'w weld o yng nghanol y lleill.'

'Rog?' holodd Dilys.

'Ia. Gwenynen o gwch arall cryfach neu bry arall o ryw fath sy wedi mynd i mewn i'r cwch i'w ddefnyddio fo at 'i bwrpas 'i hun, a ma' fo'n ypsetio'r bali lot ohonyn nhw.'

'Dene pam gawsoch chi'ch colio?' holodd Dilys.

'Ia, dwi'n meddwl. Wel, be bynnag ydi o, maen nhw wedi cymryd atyn o ddifri.'

Rhwbiodd ei war â'r wlanen unwaith eto. 'Wyddoch chi be, dydi'r mêl ddim yr un fath, chwaith.'

'Be newch chi te?'

'Does ene ddim lot fedra i neud, dim ond gadel iddyn nhw sortio'u hunen allan. Mi daflan y rog allan yn y diwedd neu mi fydd yr hen frenhines yn dianc i ffeindio rhywle arall.'

Cymerodd Seimon lwnc swnllyd o'i de a thawodd.

xi

Cerddodd Dilys adref drwy'r dref yn synfyfyriol. Roedd cysgodion o haul hwyrol haf yn llaesu a'r siopau ar gau erbyn hyn wedi dydd Sadwrn prysyr, â'r dref yn cymryd anadl cyn i ddwndwr y nos ddisgyn arni. Aethai'r siopwyr adref a doedd y bobl ddim wedi dechrau tyrru i'r tafarnau eto.

Sbeciodd ar y ffrogiau ffasiynol yn Ladywear. Gwenodd wrth feddwl am y ffasiynau a welid yn yr un ffenest pan oedd London House wedi cael ei osod uwchben y drws.

Cofiai fynd yno i brynu ei gwisg ysgol a'i ffrogiau dydd Sul. Roedd yno gownter gwydr ac ynddo res o ddroriau pren. Fe fyddai Mrs Leslie â'i hacen la-di-da, ei sgert ddu a'i blows wen, y tu ôl iddo. Gallai gofio fel y taenai Mrs Leslie amrywiaeth o ddillad isaf ar y cownter hwnnw. Cofiai sŵn y prennau ysgwydd yn crafu ar y rheilen fetel fel y chwiliai am flows neu sgert o liw neu faint arbennig. Nid felly'n awr. Gwenodd at ei hatgofion sentimental. Sbeciodd ar siwt lwyd ddeniadol yng nghornel ôl y ffenest cyn symud ymlaen, ac oedodd wrth Gamble's Holidays am ychydig cyn prysuro adref.

Pennod 3

i

'*What sort of chap is he?*' gofynnodd Dafydd i Henry Cotter wrth i'r ddau groesi un o strydoedd llai prysur Whitehall.

'*Big,*' atebodd Cotter, y gŵr o swyddfa ganolog y banc a anfonwyd i hebrwng Dafydd o Euston.

'*That's a great help. Are we talking about his shoe size or his professional standing?*'

'*Both,*' ebe Cotter.

'*Very informative,*' awgrymodd Dafydd braidd yn ddiamynedd. '*I think that the boffins in head office could have briefed me better.*'

'*Don't get shirty with me, I'm only a minion.*'

Parhâi'r ddau i gerdded i lawr y palmant yn eithaf brysiog.

'*Yes, but you have at least met the guy. What's he like?*'

'*Wel, as you know, he's the flavour of the month in the economic think tank.*'

'*Yes, and?*'

'*And been around the corridors of power for quite a bit. He's been an economics professor at one of the Cambridge colleges and worked for us for a bit. He's become a sort of consultant on various boards, electronics companies mainly. Served on lots of cabinet committees and ended up here in Whitehall. Made himself a big noise in a quiet sort of way, if you know what I mean.'*

'Most of that I know , but what sort of bloke is he?'

'He seems a bit of an old playboy gone to seed; fits in nicely with the gin and fizzy brigade. He's no spring chicken, but he's sharp and he can smell bullshit a mile away.'

'O.'

'You shouldn't worry about him. He's taken a bit of a shine to the stuff you've been doing. Just plug him in to those star wars games of yours and he'll be as happy as Larry.'

'He doesn't worry me, I just like to know what I'm up against. Let's plug him in then,' meddai Dafydd gan wenu ar Cotter cyn troi i esgyn y grisiau tuag at ddrws derw'r Weinyddiaeth.

Hebryngwyd y ddau drwy goridorau hirion at ddrws derw arall. Agorodd y porthor ef a'u gadael yng ngofal merch ifanc ddeniadol a eisteddai y tu ôl i ddesg dderw gerllaw drws derw arall eto fyth.

'Mr. Pritchard and Mr. Cotter,' meddai â gwên a dynnwyd allan o'r hysbysebion, gwên na ddywedai ddim am ei phersonoliaeth.

Nodiodd Dafydd.

'Go straight in, Mr. Bateman is expecting you.'

Fel y dywedodd y geiriau, gwasgodd fotwm ar yr intecom. *'Mr. Pritchard and Mr. Cotter have arrived,'* meddai.

Cerddodd y ddau i swyddfa eang. Safai Harvey Bateman o'u blaenau yn estyn llaw i'w cyfarch. Bu raid iddo estyn ei law am gryn amser cyn iddi gael ei hysgwyd gan y ddau ymwelydd oherwydd y pellter o'r drws at y ddesg.

'Mr. Cotter. We've already met,' ebe Bateman â llais tenoraidd annisgwyl o ddyn oedd o gorffolaeth mor fawr. *'I've read and heard a lot about you,'* meddai wrth ysgwyd llaw â Dafydd. *'Sit down, won't you please.'*

Eisteddodd y ddau yn y cadeiriau Chesterfield ger y ddesg. *'Coffee, gentlemen?'* holodd wedyn.

'White, no sugar,' meddai Dafydd yn syth, a gwyddai

Bateman nad oedd yma ŵr i'w darfu gan sefyllfa ddieithr. Ni ddychwelodd i sicrwydd cadair ei ddesg, eithr yn hytrach eistedd yn y drydedd gadair o amgylch bwrdd coffi bychan.

'*Journey O.K.?*'

'*Not bad,*' meddai Dafydd.

'*Good,*' atebodd Bateman a daeth yr ysgrifenyddes i mewn yn cario hambwrdd ac arno jwg o goffi, llaeth a bowlen arian o siwgwr brown.

'*They let us put our own milk and sugar in up here. Brought your bag of tricks with you?*' ebe Bateman gan gyfeirio at fag Dafydd.

'*Not really, there wasn't much to bring,*' atebodd Dafydd. '*It's only for show and to hide the lunch box and the flask.*'

'*Of course not,*' ymatebodd Bateman â gwên.

Roedd tensiwn y ffurfioldeb wedi ei dorri. Gallai gwaith y prynhawn fynd yn ei flaen yn hwylusach o'r herwydd a pharch y naill at ddeallusrwydd y llall ar sylfaen gadarn.

'*We have acquired the softwear that Mr. Cotter specified. I hope it's to your satisfaction,*' meddai Bateman wedyn.

'*Are you on the phone?*' holodd Dafydd yn gellweirus.

'*I don't think we've been cut off yet,*' atebodd Bateman, '*and we've got hold of one of those modem contraptions you asked for.*'

Llithrodd yr ymgom i drafod manion am ei gilydd fel ffordd o ymlacio. Taflodd Dafydd lygad dadansoddol dros y swyddfa foethus. Craffodd ar natur y llyfrau a orchuddiai un wal gyfan a chwiliodd am wyneb adnabyddys ymysg y lluniau o wybodusion economaidd a grogai ar y waliau eraill. Roedd wedi amgyffred deallusrwydd y dyn ond doedd e ddim eto yn glir ynghylch ei statws. Os oedd moethusrwydd y swyddfa yn arwydd o hynny, yn sicr, doedd ei statws ddim yn isel. Gwyddai ei fod yn cael ei adnabod fel Principal Economic Adviser to the Treasury, ond gwyddai y gallai teitlau anelwig guddio llawer a dweud dim.

Roedd ymgomio Bateman yn ysgafn ond yn ddeheuig, er bod ei acen yn gweddu i'r disgrifiad a gafodd gan Cotter, a gallai Dafydd synhwyro meddwl chwim y tu ôl i'r cyfan.

Sylwodd iddo arwain y drafodaeth heb gyfleu dim amdano'i hun; yn amlwg roedd yn gyfarwydd â thrin pobl a'i bwnc. Gwenodd Dafydd at ba mor gartrefol oedd ei ffordd o arwain yr ymgom at ddiogelwch ei raglen yn y banc.

'Don't worry about my end, Mr. Bateman. I'm quite aware of the political bombshell that would explode if a hint of it got out.'

'So it's only you that deals with the program at the sharp end,' ebe Bateman.

'No, I've brought in an outside specialist.'

'Oh yes, a Mr. Leyton Davies.' Edrychodd drwy'r ffeil ar ei ddesg. 'Our department did vet him. Working out alright is he?'

'Seems to be,' atebodd Dafydd.

'Good . . . and head office not on your back?'

'No. Only the top people know about it and of course Henry here who monitors the program at the other end.'

Doedd Cotter ddim wedi mwynhau'r 'Henry here', a gwenodd yn sardonig ar Dafydd.

'So, no problems then,' ebe Bateman.

'No, things are working out nicely. Shall we take a look?' ebe Dafydd gan estyn am ei fag.

'I thought you'd never ask,' meddai Bateman gan estyn ei law at yr intercom ar ei ddesg. 'Bring in the ironmongery Helen if you please.'

'You don't keep the computer in your room then?' holodd Dafydd.

'Good heavens no,' atebodd Bateman. 'They may be useful but not exactly aesthetic, are they. Don't match the Chesterfield furniture, I feel.'

'I suppose you have a point,' meddai Dafydd.

Daeth Helen i mewn yn gwthio troli ac arni gyfrifiadur tua maint teipiadur cyffredin â sgrîn ar ei ben; y cyfan fel y system ar ddesg Dafydd yn y banc. Cysylltodd y cyfan wrth blwg yn y wal. Cymerodd dair cadair uchel o gornel yr ystafell a'u gosod o flaen y sgrîn. Rhoes gyrtsi fechan gellweirus i'r tri cyn mynd allan.

'Mr. Pritchard, will you do the honours?' ebe Bateman, a chododd y tri o'u cadeiriau a mynd at y peiriant. Cydiodd

Dafydd yn y droli a'i thynnu'n nes at y ddesg. Trodd y swits ymlaen a daeth bywyd i'r sgrîn. Trodd at ddesg Bateman a dewis ffôn.

'*Use the cream one, that's direct.*'

Rhoes Dafydd y derbynnydd yn y crud arbennig wrth ochr y cyfrifiadur. Deialodd rif ac aros.

Daeth y geiriau HELLO, WHICH SERVICE DO YOU REQUIRE? ar y sgrin.

Teipiodd Dafydd: MECOMP

KEY IN ACCESS CODE oedd ymateb y cyfrifiadur.

Teipiodd Dafydd 2312.

'*I keyed in my access code this morning,*' ebe Cotter.

'*Or we wouldn't get in,*' adleisiodd Dafydd.

'*Is the number the same?*' holodd Bateman.

'*No,*' ebe Cotter.

'*I suppose it would be rather silly to have two matching keys to a safe wouldn't it,*' meddai Bateman. Oedodd i feddwl am eiliad cyn dweud, '*but what if Cotter was hit by a bus, what then?*'

'*There's another path, and only I have the key,*' ebe Dafydd.

'*Hardly seems fair,*' ebe Bateman.

'*It is my program after all.*'

'*I suppose so,*' ebe Bateman.

Cyn i Bateman gael cyfle i holi ymhellach, roedd Dafydd wedi gwasgu botwm ac ymddangosodd y geiriau,

MACRO ECONOMIC COMPUTER PROJECTION
Y RHEWL PROJECT SCENARIO

'*Right, shall we play?*' gofynnodd Dafydd.

Ychydig yn ddiweddarach eisteddodd Bateman yn ôl yn ei gadair. '*That was pretty impressive,*' meddai. '*Sort of computerised Monopoly.*'

'*In a way,*' atebodd Dafydd.

'*Now the sixty four thousand dollar question, how accurate is it?*'

'*It can vary as much as five per cent in estimating house prices due to the unpredictability of the mortgage rate, but we are getting better as the data bank gets larger. It evens out the variables and*

61

the predictability increases. On the other hand, our employment estimates have been pretty accurate and our assessment of the local G.D.P. is almost perfect. We have even been right in our assessment of the knock-on effect of cash injection into a company, to a very detailed level.'

'*Such as?'* holodd Bateman.

'*Well . . .'* Trodd Dafydd yn ôl at yr allweddellau,

'*Byron Lloyd, new contract for shift work in factory, 10 Jan., new bus, £60,000 + part time maintenance fitter hired, Selwyn Mason.'*

Allweddodd Selwyn Mason i mewn i'r cyfrifiadur. '*There we are. He's a local fireman. Some financial difficulty. Two children. Prediction on extra £50 p.w. Move from council house to private, 6.5 months. Mortgage £20,000. Increase in family, twelve months. Return to financial problems twelve months, due to inadequate disposable income. Wife in work in factory sixteen months. Financial stability returns.'* Edrychodd yn wybodus ar y ddau arall cyn parhau, '*Actual. Extra £63 per week. Move, 5.5 months, mortgage, £21,000. Increase in family, 12 months, girl. Financial problems return within four months. Loan renegotiated to extend repayment time for debts. Voila!'*

'*Rather sad, don't you think,'* ebe Bateman yn fyfyriol.

'*That we're so predictable?'* holodd Dafydd.

'*Yes. We put some honey in the pot and an instrument like this can predict how we're going to fly around it,'* ebe Bateman.

'*I suppose so, but nevertheless true. It's not always as accurate as that on an individual level, but the general picture is usually pretty close to the mark. We don't tend to work that much on individuals. It's the general picture and where everyone fits in that counts,'* ebe Dafydd.

'*One last question,'* meddai Bateman. '*How accurate would it be if you took the honey pot away?'*

'*I don't know. We haven't had a test situation on which to try it out.'*

Gwenodd Bateman.

ii

'Be ti'n feddwl, "dydw i ddim yn hapus am y peth",' meddai Dafydd.

'Wel ethics y peth,' atebodd Leyton yn ansicr.

'Stwffia dy ethics, Leyton! Mi wyt ti'n chware efo plant mawr rŵan ac mae'r gêm yn un fawr hefyd. Ma' hi'n llawer mwy na dy ethics di. Ma' hi'n llawer mwy na'r lle 'ma. Ma' hi'n llawer mwy na'r dyrned o bobol sy yma, ac os nad wyt ti'n hapus am y peth, mi wyt ti wedi'i gadel hi'n gythgam o hwyr i feddwl am gael traed oer. Mi oeddet ti'n gwbod be oedd y sgôr cyn i ti ddod yn rhan o'r peth.'

'Oeddwn, am wn i,' ebe Leyton braidd yn llywaeth. Nid yn aml y byddai Dafydd yn dangos y chwip ond roedd ei llach yn llosgi. Roedd yr eli a rwbiai i'r briw wedyn yn ymddangos yn gymaint mwy effeithiol.

'Yli, mi ydw i'n dallt sut wyt ti'n teimlo. Mi oeddwn i'n teimlo'r un fath â ti tan i mi weld gwerth y cyfan. Ia dyna fo, gwerth y cyfan sy'n bwysig, ddim y darne bach. Fel y dywed yr hen air, wnei di'r un omlet heb gracio wye ac mi fydd hon yn gythgam o omlet wedi i ni 'i gorffen hi. Trystia fi, mi ydw i'n gwbod be ydw i'n 'i neud, ac mae pobol uwch ein penne ni'n gwbod hefyd.'

Nodiodd Leyton â hanner gwên ar ei wyneb. Aeth yn ôl at ei waith a'r eli yn amlwg wedi cael yr effaith briodol.

iii

'Be aflwydd naiff o rŵan? Newydd dalu crocbris am dŷ a hithe'n disgwyl,' meddai Glenda wrth Liam, a hwnnw hanner y ffordd i roi dwy tshipsen yn ei geg. Bu raid i Glenda aros iddo'u cnoi cyn iddi gael ateb.

'Wn i ddim.' Trywanodd y ddwy tshipsen arall â'i fforc a'u gwasgu yn y sôs coch ar ymyl y plât. 'Yli,' meddai wedyn cyn fforchio'r bwyd i'w geg. 'Paid â chodi bwganod. Does ene ddim byd yn sicir eto.'

'Wel, o ble mae'r *Argus* wedi cael y stori, 'te?' holodd Glenda.

'Wn i ddim.'

'Wel, fasen nhw ddim yn palu llwyth o glwydde fel ene ar y dudalen flaen os na fase fo'n wir yn na fasen?'

'Maen nhw 'di deud pethe gwirionach i werthu papure,' oedd sylw Liam cyn sychu ei blât yn lân â thafell o fara.

'Yli di, Mr. Sarjiant Liam Murphy, paid ti â thrio nghonio fi, mêt. Dydi bod yn cŵl ynghylch yr holl sefyllfa ddim yn fy nhwyllo i am un munud. Mi wyt ti'n nabod pob twll a chornel yn yr hen dre 'ma, ac yn clywed pob sibrwd a chlecs, felly paid â deud nad wyt ti wedi clywed yr un rhai â fi, a dy fod ti'n gwbod yn iawn fod be mae'r papur ene yn 'i ddeud yn hollol wir.'

'Ydi am wn i,' atebodd Liam.

'Wel, pam gythgam wyt ti mor cŵl am y cyfan?'

'Cariad, mi wyt ti'n gneud digon o golli cŵl i'r ddau ohonon ni ac os colla i'n cŵl, mi fyddi di ar *valium* fel hanner merched y dre 'ma.'

Cyn i'w wraig gael cyfle i ateb y sylw crafog hwn ychwanegodd, 'Ac mae'r hogyn yn ddigon mawr i edrych ar ôl ei broblemau ei hun, rŵan.'

Gyda'r geiriau, edrychodd yn syth i lygaid ei wraig ac roedd hi yn ei adnabod yn ddigon da i wybod ei fod yn dweud nad amser i drafod oedd hwn.

iv

Nid palu celwyddau oedd yr *Argus*. Roedd ymron ddau gant o swyddi i fynd yn ffatri newydd Pixel, gan fod y cwmni'n dewis canolbwyntio'i ymdrechion yn Bracknell, fel y gallai gystadlu'n fwy effeithiol â Japan. Pwysleisiwyd fod y cwmni mewn maes cystadleuol iawn a bod rhaid iddo gael gwared ar bob gor-gyflogi. Cyfeiriodd yr *Argus* hefyd at haelioni'r cwmni â'r taliadau diswyddo da, o'u cymharu â'r graddfeydd a delid gan gwmnïau eraill, ac roedd yn cynnig gwaith i rai o'r gweithwyr yn Bracknell.

Bu lluniau o'r ffatri ar y teledu, a chafwyd cyfweliadau â chynullydd yr undeb yn y ffatri a rhai cynghorwyr lleol, ond gwrthododd penaethiaid y cwmni roi cyfweliad; ni chafwyd mwy na datganiad swta gan Jefferson, y swyddog personél. Bu erthyglau yn y *Liverpool Daily Post* a'r *Western Mail* a dadansoddwyd manteision economaidd y symud. Bu sylwadau hefyd yn adran fusnes y *Guardian* ac yn y *Financial Times*, ond ymhen rhai wythnosau roedd helbulon y Rhewl wedi mynd yn angof. Roedd pobl y dref fel pe baen nhw wedi derbyn eu tynged yn ddirwgnach.

Mae'n wir i rai brotestio y tu allan i ddrysau'r ffatri am ychydig a bu sôn am streic yn ystod y ddeuddydd cyntaf wedi i'r newyddion gael eu cyhoeddi ond ddaeth dim o hyn pan gyhoeddwyd y gallai unrhyw anghydfod beryglu swyddi'r rhai oedd ar ôl yn y ffatri, a'r farn gyffredin oedd eu bod yn lwcus na chaeodd y lle yn gyfan gwbl.

V

'Rŷch chi'n lwcus eich bod chi allan o'r ring,' ebe Selwyn Griffiths wrth Gwilym Lloyd wrth iddyn nhw gyfarfod yng nghyntedd y Goat tra'n casglu eu cotiau wedi cinio pythefnosol y clwb ymddeolion.

'Be ydach chi'n feddwl?'

'Wel, dydi job manijar banc ddim yn un boblogaidd iawn, 'swn i'n meddwl, pan fo arian yn prinhau.'

'Nachdi,' atebodd Gwilym braidd yn bigog.

'Wel, wedi clywed o'n i fod pethe'n dechre mynd braidd yn chwithig ar lawer wedi i'r ffatri Pixel yna gwtogi ar 'i staff.'

Nid atebodd Gwilym yn y gobaith y tewai Selwyn ond roedd gan hwnnw ragor i'w ddweud. 'Wedi clywed fod ene rai o'r busnese acw wedi dechre mynd â'u pen iddyn nhw a'r banc yn adfeddiannu tai. Mi oedd Byron Lloyd yn dweud wrtha i'r wythnos ddiwetha 'i fod o wedi gwerthu dau o'i fysys a'i fod yn gorfod rhoi'i gardie i'w fecanic. Contracts wedi gorffen efo'r ffatri, medde fo. Mi ydw i'n meddwl fod pobol y dreth ar 'i ôl o hefyd. Dydi o ddim yr un boi hwyliog ag yr oedd o chwe mis yn ôl.'

'Nid ein lle ni ydi siarad am brobleme ariannol neb, na chario clecs amdanyn nhw chwaith Selwyn Griffiths, ac mi'r ydw i'n synnu'ch clywed chi o bawb yn gwneud hynny.'

Gwisgodd Gwilym ei het a chamu allan i'r glaw. Trodd Selwyn at gyfaill a gofyn yn ddiniwed, 'Be ddeudes i, dwch?'

vi

'Waeth i chi heb â gofyn. Does gen i ddim dylanwad,' meddai Dilys.

'Ond siŵr dduw, mae o wedi cael rhyw ddealltwrieth o sut mae'r lle ma'n gweithio ers iddo fo fod yma,' atebodd Liam wedyn wrth i'r ddau ohonyn nhw gerdded heibio i'r Co-op i gyfeiriad y banc.

'O, mae gynno fo ddealltwrieth. Mae gynno fo ddealltwrieth dda iawn o sut mae pethe'n gweithio.'

'Wel pam aflwydd nad ydi o'n dangos dipyn bach ohono fo, te? Ma'r lle 'ma'n gwaedu a dydi o ddim yn codi bys bach i leddfu'r boen.'

'Mae'r gêm 'di newid,' atebodd Dilys, 'a dydi o ddim yn chwarae wrth yr un rheolau, Liam Murphy.'

Cerddodd y ddau yn eu blaenau mewn tawelwch myfyrgar.

'Fase ene rhyw bwynt i mi gael gair ag o?' holodd Liam yn sydyn gan dorri ar y distawrwydd.

'Dim,' atebodd Dilys. Parhaodd y tawelwch am ychydig eiliadau eto. 'Be ddigwyddodd pan aeth yr hogyn acw i'w weld o?'

'Dim. Dim byd. Y cwbwl a gafodd o oedd y wal bleserus ffurfiol ene a'r un hen neges. Damia fo! Mae Prys acw bron mynd o'i go'n poeni, a dydi Eleri fawr o help. Post natal depression myn diawl! Mi fydd rhaid iddyn nhw werthu'r tŷ a dod yn ôl i fyw hefo ni a Duw a ŵyr does gen i ddim isio hynny.'

'Oedd yr arian diswyddo ddim yn help?' holodd Dilys wedyn.

'Arian diswyddo! Hy! Mae hwnnw wedi mynd yn barod a does gen i a'r wraig ddim pwll diwaelod i helpu. Tase fo'n medru gwerthu'r tŷ mi fase fo'n help, ond does ene neb sy'n fodlon 'i brynu o.'

'Neb?'

'Wel, mi fydde 'ne brynwyr tase fo'n gostwng 'i bris a chymryd colled. Mae prisie tai yn y lle 'ma 'di disgyn ugain y cant ers y newyddion.'

'Fedar o ddim cymryd gwaith yn Bracknell?' gofynnodd Dilys gan geisio bod mor gydymdeimladol â phosib.

'Sut medar o wneud hynny? Talu morgej yn fan hyn a digs y tu allan i Lunden a chadw teulu.'

'Oes ene siawns am waith rywle'n agosach?'

'Dim. Mae'r arwyddion yn ddrwg ar hyn o bryd.'

'O,' ebe Dilys, cyn tawelu eto.

Roedd y banc yn bell y tu ôl iddyn nhw erbyn hyn ac awr ginio Dilys yn dirwyn i ben. Stopiodd. 'Ddim yr un Liam Murphy hwyliog, gwybodus, call rydw i'n siarad â fo mwyach.'

'Nage wir,' atebodd Liam. 'Ond be fedrwch chi ddisgwyl? Lle bach neis oedd y Rhewl ryw dipyn yn ôl. Rŵan ma' fo'n fan lle mae dynion yn dyrnu'u gwragedd ac yn dwyn ceir ar nos Sadwrn. Ma' ene fechgyn yn sniffio gliw a mae arna i ofn garw fod ene ryw gythrel yn gwerthu heroin o gwmpas y lle.'

'Mi glywes i, ond dydi'r banc ddim yn cael y bai am hynny, siŵr,' ebe Dilys. Gwenodd Liam gan deimlo tipyn o embaras am iddo fwrw ei berfedd mor rhwydd ar Dilys.

'Mi wna i be fedra i,' meddai Dilys wedyn, 'ond dydw i ddim yn addo.'

'Well i mi 'i throi hi i ddal y rheibwyr a'r llofruddwyr o gwmpas y lle 'ma te,' ebe Liam, ac ymadawodd, y rhadlonrwydd wedi dychwelyd wrth iddo gerdded yn dalog i lawr y stryd. Aeth Dilys yn ôl at ei gwaith.

Yn ystod y prynhawn, a Dafydd allan ar ymweliad, ymwelodd hithau â ROUSE yn ei swyddfa.

Gwyddai ei bod yn mentro er ei bod hi wedi torri i mewn i'r rhaglen sawl gwaith yn ddiweddar. Gofalai wneud hynny bob amser pan oedd Dafydd allan am y dydd. Roedd hi'n saffach felly gan fod y fideo'n dileu pob tystiolaeth ar ôl teirawr. Doedd neb wedi ei ailosod, hyd y gwyddai. Heddiw gwyddai y byddai Dafydd yn dychwelyd cyn i hyn ddigwydd ond aeth ei chwilfrydedd yn drech na hi.

Gwyddai fod y rheolwr wedi bod wrthi'n hwyr yn ei swyddfa am sawl noson yn ddiweddar. Ers i'r newyddion am Pixel dorri, pur anaml y byddai yn y banc yn ystod oriau gwaith. Bleddyn oedd yn gorfod derbyn y rhan fwyaf o'r dwrdio a'r dagrau. Ambell dro deuai cais i Dilys drefnu awr i Dafydd weld rhai cwsmeriaid, ond fel rheol roedd drws ei ystafell yng nghau i bawb. Ni fynnai ddim ond heddwch a llinell ffôn gyson agored ac ambell gwpanaid o goffi. Nid âi allan i'w ginio; deuai ag ychydig frechdanau gydag ef.

Ar derfyn pob dydd treuliai hanner awr gyda'i staff ond math o ymarfer cysylltiadau cyhoeddus bwriadol oedd hynny. Gwnâi sioe reit dda ohoni ym marn Dilys, gan gadw pawb yn ddiddig. Gwyddai ei fod yn cadw rhestr o benblwyddi plant a ffeithiau defnyddiol am ei staff ar y cyfrifiadur, a chreu argraff dda trwy dynnu sylw atyn nhw o bryd i'w gilydd.

Roedd Bleddyn yn mwynhau'r cyfrifoldeb newydd a'r rhyddid. Ni welwyd ef yn grwgnach unwaith o dan y llwyth o waith ychwanegol a roddwyd ar ei ysgwyddau. Yn wir, roedd pawb yn gweithio yn eithaf normal er bod rhyw anesmwythyd yn cosi dan yr wyneb.

Bu'r ffaith bod Leyton yn treulio cymaint o amser yn ystafell y rheolwr yn achos cryn dipyn o chwilfrydedd ond ychydig a ddywedwyd ar goedd. Arhosai ar ôl yn hwyr ambell noson a sylwodd pobl ar hynny hefyd. Heddiw roedd gan Dilys gyfle euraid i ymweld â'r rhaglen a mynnai fanteisio arno. Teipiodd ROUSE i mewn i'r cyfrifiadur a disgwyl. Daeth y ddewislen arferol ar y sgrîn ac eisteddodd yn ôl i'w hastudio. Doedd dim yn amlwg newydd tan iddi rowlio'r sgrîn i amlygu ail dudalen, ac arni ddwy linell yn unig,

DECLINE SCENARIO

DECLINE FORECAST

Fferrodd pan gerddodd Leyton i mewn i'r ystafell.

viii

'Beth ydi'r cam nesaf?' ebe Leyton.

'Dim,' atebodd Dafydd. 'Mi fydde cymryd cam yn dangos bod gynnon ni rywbeth i'w guddio.'

'Ond os . . .?'

'Os be? Beth os ydi Dilys wedi torri i mewn i'r rhaglen? Beth oedd ar y sgrîn pan ddest ti i mewn?'

'Roedd hi'n glir ond falle iddi hi fynd allan o'r rhaglen cyn i mi weld.'

'Wrach ond mae'n well gadael llonydd i bethau am y tro. Mae Dilys wedi bod yma ers Sul y Pys ac o dan yr hen oruchwylieth mi oedd hi'n cael 'i ffordd 'i hun. Os ydi hi isio chware ar fod yn fanijar tra ydw i allan, wel gad iddi hi wneud hynny.'

'Does ene ddim modd i ni wirio os buodd hi yn y rhaglen, te,' ebe Leyton.

'Nac oes. Dim ond mynediad i SCEP ma' fo'n logio. Does dim am ein cornel fach ni.'

'Be' am y llwybyr arall, te?'

'Na, does dim log o hwnnw, chwaith ond mi fase'n rhaid iddi hi ddallt tipyn am gyfrifiaduron i wbod fod y fath lwybyr yn bod, heb sôn am 'i ffeindio fo.'

'Taswn i wedi meddwl am edrych ar y tâp mewn pryd, mi fyddai gynnon ni well syniad,' ebe Leyton wrth droi i fynd allan.

'*Cest la vie,*' atebodd Dafydd. 'Mae gen ti chwilen i fyny dy din, on'd oes? Dysga beidio poeni, wnei di.'

'Wedi i Leyton gau'r drws ar ei ôl, myfyriodd Dafydd am ennyd. Ysgydwodd ei ben ac wedyn gwasgu botwm yr intercom.

'Dilys?'

'Ia, Mr. Pritchard.'

'*Line, please.*'

ix

Roedd y fynwent yn llawn; pob aelod o'r Siambr Fasnach, cwsmeriaid, cyfeillion a thorf o deulu wedi ymgasglu o bedwar ban Cymru. Roedd carfan gref hefyd o bentref y tu allan i Turin, o'r lle yr hanai Guiseppe Alberto Rabbiotti.

Roedd y gaeaf yn gyndyn iawn i ymadael a dôi gwynt oer gogleddol i sgubo rhwng y ddau fryn o bobtu'r fynwent. Ni roddai'r coed nemor ddim cysgod rhag y glaw mân a dreiddiai rhwng y brigau ac roedd y llwyth o dorchau'n ynys o liw yng nghanol cylch o gotiau duon.

Gollyngwyd yr arch i'r bedd. Safai'r Tad O'Dwyre yn dalsyth yr ochr uchaf iddo. Safai Caterina Rabbiotti a'r pedwar mab a'u gwragedd yn mud syllu ar arch eu tad. Cydiai'r ddau frawd hynaf yn eu mam a chydiai hithau mewn hances fel petai'n gwasgu ei holl deimladau iddi. Roedd pob cyhyr yn ei hwyneb wedi tynhau i guddio'r artaith yn ei chalon. Gollyngodd yr hances ac fel y gwnaeth hynny ysigodd hithau. Tonnodd yr artaith drosti a disgynnodd ar ei gliniau gan igian crio er i'w meibion ymdrechu i'w chadw ar ei thraed. Chwipiwyd ei het ymaith gan y gwynt a disgynnodd ei gwallt ar draws ei hwyneb. Roedd ffurfioldeb yr achlysur wedi ei dorri.

Rhuthrodd ambell un ymlaen i gynnig help i'r brodyr ond gwrthodwyd eu cynigion. Aeth y ddau ar eu cwrcwd wrth ochr eu mam ac arwyddo i'r offeiriad barhau â'r seremoni. Sibrydodd Alberto'r brawd hynaf yng nghlust ei fam a chododd y tri cyn i'r offeiriad ddweud ei eiriau agoriadaol. Daethpwyd â'i het yn ôl i Caterina ond fe'i daliodd yn ei dwylo, fel pe bai yn cael yr un cryfder o wneud hynny ag a gâi o ymaflyd yn yr hances.

Roedd yr offeiriad yn amlwg ymwybodol o freuder y foment a gwyddai taw brysio fyddai orau.

Safai Liam a Dilys ar y llwybr islaw'r bedd yn gwylio'r ychydig oedd ar wahân i'r prif alarwyr. Cawsai Dilys ganiatâd i fynd i'r claddu. Hi oedd cynrychiolydd y banc. Byddai wedi bod yn hapusach bod yno fel hen ffrind a hyderai taw felly yr ystyrid hi. Roedd Dafydd yn Llundain. Roedd yr ymweliad wedi ei drefnu ers amser ond digwyddai fod yn arbennig o gyfleus.

'Death by misadventure' oedd dyfarniad y crwner ond gwyddai pawb nad 'misadventure' oedd i Pino Rabbiotti saethu ei hunan yn ei ben â'i wn hela yng Nghoed y Ddôl ddeng niwrnod ynghynt. Gwir y gallai'r gwn fod wedi tanio'n ddamweiniol wrth iddo groesi'r gamfa ac roedd pelenni plwm yn ei ysgwydd yn cadarnhau'r ddamcaniaeth na chymerodd ei fywyd ei hun. Gwyddai Dilys o brofiad pa mor barod oedd crwner i roi dedfryd o farwolaeth drwy anffawd i leddfu tipyn ar ing teulu. Byddai'n rhaid i'r dystiolaeth fod yn hollol amlwg iddo weithredu fel arall.

Doedd dim rhaid wrth adroddiad crwner i Dilys a Liam wybod y gwir. Lladdodd Pino Rabbiotti ei hun wedi cyfnod o iselder ysbryd a ddeilliai o broblemau ariannol. Fel y dywedodd Liam ar ôl clywed, 'Dydi saethwr profiadol fel Pino ddim yn croesi camfa â'i wn heb ei dorri â chetris yn y barilau.'

Daeth y gwasanaeth i ben a llifodd y galarwyr yn araf i daflu pridd ar yr arch. Arhosodd Liam a Dilys i'w dilyn. Gadawodd y teulu'r bedd yn fuan a cherdded at y llwybr. Arhosodd Liam a Dilys iddyn nhw fynd heibio. Roedd Caterina fel petai yn cerdded yn reddfol gyda'i meibion i gyfeiriad y car. Wrth iddi fynd heibio, sylwodd Dilys ar welwder ei hwyneb ac aeth ati i leisio cydymdeimlad.

Stopiodd Caterina a chan edrych tua'r ddaear, meddai, '*La maledetta banca.*' Yna aeth yn ei blaen.

Dim ond Dilys a'r meibion a glywodd y geiriau ond synhwyrodd Liam fod rhywbeth o'i le. Ni ddywedodd Dilys yr un gair cyn gadael y fynwent, ond roedd wedi penderfynu a doedd dim troi'n ôl i fod.

Pennod 4

i

'Ga i siarad â'r gŵr?' ebe Lois ar y ffôn heb ddweud pwy oedd hi. Roedd tipyn o golyn yn ei llais.

'Mae o ar y lein arall ar hyn o bryd, Mrs. Pritchard. Fasech chi'n lecio i mi ofyn iddo fo ffonio'n ôl, neu alla i gymryd neges?' meddai Dilys, ond gwyddai yn iawn na fyddai ei hateb yn plesio.

'Damia fo!' ebychodd Lois.

'Hoffech chi i mi fynd i mewn ato fo i ddweud eich bod chi ar y ffôn?' holodd Dilys wedyn.

'Siŵr Dduw, hoffwn i,' meddai Lois yn bendant.

'Iawn.'

Gwasgodd fotwm ar yr intercom ac yn y man meddai Dafydd, 'Ia Dilys, be sy'n bod? Oes ene fom wedi disgyn yn y Rhewl? Mi ydw i ar y ffôn efo head office. Mae o braidd yn bwysig.'

'Mae'ch gwraig chi ar y ffôn.'

'O,' a thawelodd yr intercom am eiliad. 'Dywedwch y rho i alwad mewn munud,' a thorrodd y cysylltiad.

Cysylltodd Dilys â Lois eto. 'Helô; sori'ch cadw chi, ond mae o'n siarad â head office ar hyn o bryd ac mae o'n addo rhoi galwad i chi. Fydd o ddim yn hir.'

Roedd Freda wedi clywed y geiriau ac arhosodd i glustfeinio. Ceisiodd Dilys ei gyrru i ffwrdd ond roedd hi'n gyndyn iawn i ymadael. Ysgrifennodd Dilys ar ei phad; 'Cer o 'ma', a'i ddal o flaen trwyn Freda.

'Dywedwch wrtho fe na fydd y plant na fi yma pan ddaw e adre os na ddaw e ar y ffôn nawr,' ebe Lois. Ysgrifennodd Freda *sboilsbort* ar y pad cyn dychwelyd at ei gwaith. Gwenodd Dilys yn sardonig gyfeillgar wrth iddi hi fynd.

Penderfynodd Dilys taw cadw Lois i siarad oedd y dacteg orau dan yr amgylchiadau, 'Fedrech chi ddweud wrtha i rywbeth am natur y broblem?'

"Sdim blewyn o ots os taw mo'yn torth o fara ydw i neu fod y tŷ ar dân. Wi mo'yn 'y ngŵr ar y ffôn 'ma nawr, reit!'

Pwysodd Dilys fotwm yr intercom unwaith eto.

'Helô, be sy?' holodd Dafydd, yn amlwg yn ddiamynedd.

'Mae Mrs. Pritchard eisiau gair nawr.'

Clywodd Dilys Dafydd yn siarad â'r person ar ben arall y ffôn. *I'm sorry, but something urgent has come up at home. I'll have to phone you back.* Ni allod Dilys glywed yr ateb. 'Reit, rhowch hi drwodd.'

'Dyma Mr. Pritchard i chi,' meddai Dilys wrth Lois.

Roedd yr alwad yn un hir a goleuodd lamp ar y switsfwrdd am gryn chwarter awr. Pan ddiffoddodd, gwasgodd Dilys fotwm y recordydd galwadau i stopio'r peiriant. Cymerodd y gasét fechan ohono a'i rhoi yn ei bag llaw cyn rhoi un arall gyffelyb yn ei lle.

Edrychodd Freda'n ymholgar arni. Ni allai weld y peiriant recordio oddi yno na'r hyn a wnaeth Dilys. Trawodd Dilys ochr ei thrwyn yn awgrymog ac edrych ar y camera bychan yn y gornel. Roedd yn dechrau troi i'w chyfeiriad hi. Os felly, edrychai i gyfeiriad arall pan gymerodd y gasét . . . gobeithiai.

ii

Defod bythefnosol oedd marchnad y Rhewl. Tyrrai gwragedd y fro i'r siopau a'r stondinau ar y sgwâr a thyrrai ffermwyr i'r tafarnau wedi bargen neu bris da am fustach neu ŵyn. Roedd yn ddiwrnod mawr yn y banc hefyd ond diwrnod mwy byth fyddai hwnnw pan fyddai diwrnod marchnad yn cyd-daro â diwrnod talu cyflogau yn Pixel, sef ar y dydd Iau olaf bob mis.

Diwrnod mawr felly oedd y dydd Mercher cyn hynny i weithwyr y banc, diwrnod gweddol dawel o ymbaratoi ar gyfer y prysurdeb oedd i ddod. Byddai'n rhaid derbyn archeb ariannol i'r banc, ei chyfrif a'i gosod yn barod ar gyfer pob til; degau ac ugeiniau yn bentyrrau taclus dan glo i lawr y grisiau yn ystafell y gist.

Security Link oedd yn gyfrifol am y cludo; ef oedd y cwmni oedd yn gyfrifol am system diogelwch y banc.

Cyrhaeddai'r fan yn rheolaidd bob dydd Mercher a dadlwytho'r arian. Dôi'r arian mân i'r golwg gyntaf o'r drws bach yn ochr y fan. Ni welai neb fwy na phâr o ddwylo'n eu trosglwyddo i ddwylo'r ddau swyddog helmedog ar y ffordd y tu allan. Câi'r cyfan ei gludo yn frysiog i'r banc ac aent yn syth i swyddfa'r rheolwr. Câi'r drws ei gau ar eu holau.

Yr arian mawr oedd yr olaf i ddod, y papurau decpunt a'r ugeiniau. Y tro hwn byddai breichled â chadwyn am arddwrn y cludydd a honno ynghlwm wrth focs yr arian.

Ar un o'r dyddiau Mercher hynny ym Medi safai Seimon y garddwr wrth un o'r gwelyau rhosod yn gwylio'r ddefod. Siaradai â Liam a fyddai yn y cyffiniau ar adegau felly ac ni fyddai un o geir yr heddlu ymhell i ffwrdd, yn rhan am y tro o'r system diogelwch.

Tra roedd y ddau'n siarad, daeth y ddau swyddog allan o'r banc â bocs ganddyn nhw. Agorwyd y drws bychan yn ochr y fan a rhoddwyd y bocs ynddi. Dadfachwyd y gadwyn o arddwrn un o'r swyddogion. Aeth un ohonynt i'r cab yn y blaen at y gyrrwr a dychwelodd y llall i'r banc.

Gwyliodd Dilys hefyd y ddefod. Roedd hi wedi ei gwylio sawl gwaith o'r blaen. Fel ar bob tro arall, aed â'r hen arian i mewn i'r fan, a daeth y swyddog yn ôl i gael ei dderbynneb. Ar yr adeg yma, byddai hi'n mynd i ystafell y rheolwr i gyfri'r pentyrrau arian a'r bagiau ac i arwyddo'r ffurflen briodol, a thystio i'r arian gyrraedd yn ddiogel.

Doedd heddiw ddim yn wahanol. Roedd y bagiau'n rhes

yn erbyn y wal a'r arian papur yn bentyrrau taclus ar y ddesg.

'Deugain mil heddiw. Dyma'r rhestr,' ebe Dafydd gan roi'r ffurflen i Dilys. Cyfrifodd yr ugeiniau'n gyntaf gan orffen gyda'r ceiniogau.

'Iawn,' meddai yn y man. Pwysodd ar ddesg y rheolwr i arwyddo'r dderbynneb.

Cyn iddi arwyddo gofynnodd Dafydd a oedd hi'n siŵr. Trodd hithau i edrych arno am eiliad cyn arwyddo. Gwenodd Dafydd wedi iddi droi oddi wrtho.

'Rhywbeth arall i fynd efo nhw heddiw?' holodd Dilys.

'Dim ond hwn,' atebodd Dafydd gan dynnu bocs mawr o Black Magic o ddrôr ei ddesg a'i roi mewn amlen fawr. 'I'r wraig,' meddai wedyn gan lyfu'r amlen ac ysgrifennu cyfeiriad ei gartref arni. 'Ddim cweit fel dyn o'r S.A.S yn dringo rhaffe a neidio drwy ffenestri, ond ddim pawb sy'n cael bocsys o siocled efo Securicor.'

'Because the Lady loves Milk Tray, Mr. Pritchard,' ebe Dilys.

'Manylion Dilys, manylion. Gofynnwch iddo fo am bicio'r rhein adref ar ei ffordd yn ôl. *Perks of the job, to soothe the savage breast,'* ychwanegodd. Gwenodd Dilys arno cyn mynd trwy'r drws cefn â'r amlen a'r dderbynneb yn ei llaw.

Agorodd un o'r ffenestri oedd uwchben y cownter a'u rhoi i'r swyddog oedd yn aros. *'Mr. Pritchard asks if you'll deliver this on your way back.'*

'O.K. See you next week,' oedd ei ateb a throdd tua'r drws.

Arhosodd Dilys iddo ymadael, wedyn gwasgu'r botwm ar yr oriawr newydd oedd ganddi a stopwatch arni.

Gydag awch y cerddodd hi adref ddiwedd y prynhawn Mercher hwnnw. Wedi iddi agor y drws a cherdded i'r gegin aeth hi ddim ati i hwylio cwpanaid o de yn ôl ei harfer. Bu raid i'r gath aros y tu allan pan gaewyd y drws arni'n ddiseremoni. Aeth Dilys at y cwpwrdd bychan wrth ochr y sinc a thynnu dau recordydd tâp ohono gan eu gosod ar y bwrdd. Wedyn estynnodd am focs esgidiau Dolcis ac ynddo nifer o wifrau a chasetiau a'i roi ger y ddau beiriant.

Plygiodd yr estyniad trydan mewn soced a gosod gwifrau o un recordydd i'r llall. Cymerodd y casetiau o'r bocs, rhai yn fawr a rhai yn llai o faint, a'u gosod yn rhesi ar y bwrdd, pob un ohonyn nhw wedi ei labelu i ddynodi ei chynnwys.

Roedd hi wedi prynu'r ddau recordydd mewn dwy siop wahanol yng Nghaer ddeufis yng nghynt, yr un cyffredin i chwarae'r casetiau mwy ac un cofnodi galwadau ffôn i chwarae'r rhai llai. Roedd hi wedi prynu'r gwifrau a'r cysylltiadau angenrheidiol mewn siop arall, ynghyd â nifer o gasetiau i'r ddau beiriant. Ni thalodd â siec. Doedd y recordydd cyffredin ddim mor gyffredin â hynny. Roedd arno fodd i gyflymu ac arafu casetiau.

Cyn eistedd, cymerodd y gasét fechan a ddygodd o'r banc a'i gosod yn y peiriant derbyn galwadau ffôn. 'Reit,' meddai, 'dim ond twtio tipyn bach.'

Clywodd grafu wrth ddrws y ffrynt a sŵn mewian. Oedodd cyn gwasgu'r botwm ar y peiriant. Taniodd sigarét ac anadlu'n ddwfn cyn mynd i agor y drws ffrynt i'r gath.

Wrth iddi gau'r drws crafodd ei waelod dros lythyr oedd ar y llawr. Synnodd nad oedd wedi sylwi arno o'r blaen. Roedd y cyfeiriad wedi ei deipio a marc post Llundain arno.

Agorodd yr amlen a darllen y nodyn byr oedd y tu mewn iddo.

London
Tuesday

Dear Dilys,

All arranged.

Hyde Park 2.30. Next Friday the 10th—where we used to feed the ducks.

Cloak and dagger stuff eh! What's up?

Regards

B.

'*Thank you for coming,*' ebe Dilys. '*Shall we take a seat? I always used to come here to eat my lunch.*' Taflodd olwg hiraethus dros y Serpentine oedd fel gwydr o lyfn. '*The ducks seemed to get more of it than I did. I've brought a few sandwiches with me today. Have you eaten?*'

'*Yes, thanks,*' atebodd y ferch ifanc a eisteddai wrth ei hochr ar y fainc yn Hyde park.

'*You got the message from Belinda then?*' Siaradai Dilys fel petai'n chwilio am ffordd i arwain y sgwrs i'r cyfeiriad iawn.

'*Yes. You seem to have quite a reputation.*'

'*Oh, not any more. Some of the old guard like Belinda might remember me, but that's all.*'

'*But she does seem to hold you in rather high regard.*'

'*Does she? Well that's very flattering,*' ebe Dilys ychydig yn swil.

'*That's why I came,*' ebe'r ferch ifanc. '*She sounded very mysterious.*'

'*She always liked something with a hint of cloak and dagger about it. Did she say anything else about me?*'

'*No. Soul of discretion, our Belinda.*'

'*Well, I think I had better put you in the picture. Have a sandwich. I've brought a flask of tea,*' ebe Dilys yn famol gan estyn i mewn i'w bag. Sylwodd y ferch ifanc ar faint y fflasg. '*Well it's rather a big picture,*' meddai Dilys. '*Sugar?*'

'*Yes, please.*'

'*Good, so do I.*' Tybiodd iddi weld cwmwl o anniddigrwydd yn pasio dros wyneb y ferch, fel petai yn dechrau drwgdybio'r wraig ganol oed a rannai fainc â hi. Âi gweithwyr Llundain heibio iddynt ar brynhawn cynnes o haf bach Mihangel.

'*I am a secretary. I work in a bank in Wales in a market town called y Rhewl. You may have heard of it.*'

'*Yes.*'

'*And my name is Dilys.*'

Sylweddolodd y wraig ifanc bod y wraig ganol oed yn

hoffi bod yn bwyllog ac edrychodd arni'n cymryd llwnc o'r te, fel pe bai hwnnw yn rhoi nerth iddi hi i barhau.

'*I was your father's secretary,*' meddai Dilys wedyn a synnodd pan welodd wyneb y ferch ifanc yn agor yn wên fawr.

'Rydw i'n gwybod,' meddai a syllodd Dilys yn syfrdan arni.

Cynigiodd y wraig ifanc ei breichiau i Dilys gan hanner chwerthin a hanner crio.

'Ond sut?' ebe Dilys wedyn.

'Mae dau a dau yn dal i wneud pedwar, welwch chi. Pan ddywedodd Belinda'ch enw chi fe wyddwn i'n syth.'

'Ond mae'ch . . .'

'Odi ma' fe. O, fi rioed yn siarad gair o Saesneg 'da Mam a ma 'da nhw ysgol Gymraeg yn Llundain hefyd. Mi synnech chi faint o Gymraeg dw i'n siarad bob dydd yn y lle 'ma. Reit, ma' da ni lot i siarad amdano. Mae 'na sawl bwlch i'w lenwi. Cystal inni fynd i'r fflat. Fe fydd yn fwy cyffyrddus.'

Yn Notting Hill roedd fflat Helen, un fechan eithaf moethus a brynodd iddi ei hun wedi marwolaeth ei mam ddeunaw mis yn ôl. Roedd golau'r stryd yn gryfach na golau dydd erbyn hyn a'r adar yn y mews gyferbyn yn dechrau tawelu. Roedd ar yr ail lawr a dôi dracht o awyr gynnes Llundain i mewn drwy'r ffenest, heibio i'r gath a eisteddai ar y lintar. Eisteddai'r ddwy ar gadeiriau gyferbyn â'i gilydd.

Roedd hi'n amlwg fod y cyfnod o ysgafnder wedi pasio a bod adeiladu mwy difrifol o'u blaenau.

'Mae'n well inni gael jin arall ond ydi,' awgrymodd Helen.

'Dwi ddim yn meddwl y base fo'n syniad drwg,' atebodd Dilys gan danio sigarét arall. 'Dim ond un bach, cofia.'

'Reit te, Dilys,' ebe Helen, beth am roi'r cardiau i gyd ar y ford, te?'

Plygodd Dilys ymlaen, tynnu amlen weddol swmpus o'i bag siopa a'i chyflwyno i Helen. 'Agor hi. *Read and inwardly digest.*'

Edrychodd Helen ar Dilys, yn methu deall. 'Ga i wneud tamaid o swper tra bydda i'n aros?' meddai Dilys, a chodi.

Cyrhaeddodd y tacsi i fynd â Dilys yn ôl i'w gwesty am hanner nos. Cofleidiodd y ddwy yn serchus ar garreg drws y bloc fflatiau Victoraidd.

'Siŵr rŵan?' holod Dilys.

'Ydw. Popeth yn glir,' atebodd Helen.

Trodd Dilys i fynd i lawr yr ychydig risiau i'r palmant i gwrdd â'r tacsi.

'Un cwestiwn olaf,' ebe Helen yn ddisymwth. 'Pam nawr ar ôl cymaint o amser?'

'Amser tacluso a chyfle arbennig i'w wneud o. Dw i'n meddwl i mi ddechre yn reit dda heno.'

'Do wir!' meddai Helen cyn i Dilys gau drws y tacsi. Chwifiodd Helen o garreg y drws fel yr ymdoddodd golau coch y cerbyd i fyrdd goleuni cochion Holland Park Avenue. Meddyliodd am yr amlen ar fwrdd y fflat, ei chalon yn dal i guro fel gordd.

v

Roedd hi'n ddydd Mercher cyn marchnad diwedd y mis. Roedd y tywydd wedi troi â'r ha bach Mihangel ar ben. Casglai cymylau duon o amgylch y bryniau, rhai oedd yn barod i wagio'u cynnwys ar ddaear sych oedd yn barod i'w dderbyn. Roedd y gath wedi sgrialu o'r rhandir, wedi cael ei bwydo ac eisoes wedi mynd allan i'r ardd. Roedd cwpan Dilys yn wag a gweddill y dŵr yn y tegell wedi oeri. Eisteddai wrth y bwrdd wedi gwisgo'n barod.

O'i blaen roedd y ddau beiriant recordio mewn amlen fawr drwchus. Roedd yno hefyd nifer o gasetiau mewn rhes ddestlus; rhestr wedi ei theipio, ynghyd â'r *Guardian*. Trodd i dudalen ôl y papur. Gwelodd taw Araucaria oedd gosodwr y croesair. Gwenodd, plygu'r papur a'i roi yn ei bag.

Cododd y darn papur â'r rhestr arno. Edrychodd ar y cloc ar y stof. Darllenodd y rhestr a chau ei llygaid wedyn. Trodd a rhoi'r darn papur yn y sinc. Tynnodd focs sigaréts o'i phoced, tanio un a heb ddiffodd y fflam trodd i'r sinc a rhoi tân yng nghornel y darn papur. Gwyliodd ef yn llosgi yn grimp du a chyda gwaelod ei phecyn sigaréts torrodd y crimp yn ddarnau mân a'u golchi i lawr y twll. Cymerodd fag plastig o'r gilfach dan y sinc a rhoi'r ddau beiriant recordio a phob casét ond un ynddo. Clymodd geg y bag â darn o gortyn ac edrych ar ei wats ddigidol: 8.15. Clustfeiniodd. Gallai glywed y lori sbwriel yn dynesu â'i safn swnllyd yn agor a chau wrth iddi lyncu'r sbwriel a deflid iddi gan y dynion a'i bwydai.

Llusgodd y bag ar hyd y cyntedd, ac agor y drws a'i osod ar y rhiniog. Arhosodd i'w weld yn cael ei daflu'n ddi-seremoni i'r safn. Yna caeodd y drws a dychwelyd i'r gegin.

Doedd dim ar y bwrdd erbyn hyn ond yr amlen, y gasét fechan a'r gwpan wag. Golchodd y gwpan a'i chadw, wedyn trodd i sbecian o gwmpas y tŷ i sicrhau fod popeth yn ei le.

vi

Roedd y tiwb yn llawn a mwg sigarét gwraig a eisteddai wrth ei hochr yn codi'n syth i wyneb Helen. Gwnaeth ystum amlwg i'w osgoi ac edrychodd i wyneb y wraig ond trodd honno i edrych allan o'r ffenest heb symud ei sigarét. Rhygnodd y trên ymlaen ar ei siwrnai glonciog o orsaf i orsaf dan strydoedd Llundain; torf yn disgyn ac un arall yn cymryd ei lle.

Sbeciodd i'r bag am y pumed tro i sicrhau bod popeth ynddo, yr amlen frown a'r ddisgen gyfrifiadurol.

'Hello, George,' meddai'n hwyliog wrth y porthor ar ôl cyrraedd cyntedd swyddfeydd y Weinyddiaeth.

'Morning,' atebodd hwnnw wrth wylio'r ysgrifenyddes yn camu'n heini ar hyd y lloriau marmor tuag at y grisiau a arweiniai at ei swyddfa hi. Gallai glywed tinc ei sodlau ar y llawr am eiliadau cyn iddyn nhw gael eu boddi yn nhinc sodlau rhai eraill yn mynd i'w gwaith.

Cyrhaeddodd y drws derw cyfarwydd ac arno'r enw, Mr. Harvey Bateman. Ar ôl ei agor, gwelodd olygfa gyfarwydd, y planhigyn rwber, y rhesi o lyfrau, desg, teipiadur, intercom a dau deleffon yn gysylltiedig â switsfwrdd. Eisteddai'r cyfrifiadur ar droli rhwng y ddesg a'r wal. Eisteddodd wrth ei desg a rhoi ei bag llaw a'r bag plastig ar y llawr wrth ei hochr cyn paratoi ar gyfer llafur y dydd.

vii

Am ddeng munud i naw safai Dilys o flaen bwrdd y gegin. Roedd ei chot law amdani, ymbarél dros un fraich a dolen bag llaw dros y llall. Doedd ond tri pheth ar y bwrdd bellach, yr amlen fawr frown, casét fechan a'i phapur newydd. Gosododd yr amlen ar ganol y bwrdd, cododd y gasét a'i rhoi yn ei bag a'r papur newydd dan ei chesail. Sicrhaodd bod yr agoriad yno a chau'r sip arno a mynd i'r cyntedd. Arhosodd i ystyried a wisgai het law neu beidio. Penderfynodd beidio. Yn ôl ei harfer, ceisiodd y gath wasgu trwy'r drws wrth iddi ei agor, ond gan ddilyn ei harfer hithau, fe'i cadwodd allan â blaen ei throed a throdd y gath i fynd yn ôl i'r rhandir. Caeodd y drws.

Am ryw reswm roedd y dref yn gymharol dawel am bum munud i naw bob bore, y rhai oedd am gyrraedd am naw eisoes yn eu lle a'r rhai oedd am gychwyn am naw heb ddechrau ar eu siwrnai. Gallai ei thro o'i thŷ i'w gwaith fod yn eithaf didramgwydd.

Cododd law ar Alice y ddynes lolipop ar y groesfan ar ben stryd yr ysgol ac yn yr wyth munud a gymerai'r siwrnai, cafodd ddigon o amser i dorri gair â Seimon y garddwr.

'Y cwch gwenyn wedi sobri dipyn?' holodd.

'Mi wnân rŵan hefo'r tywydd oer 'ma,' oedd ei ateb.

'Sut flwyddyn fuodd hi am fêl?'

'Tila iawn wir. Mi fydd raid i'r hen frenhines ddengid cyn i'r gaea 'ma ddod, neu fydd ene ddim siâp am fêl y flwyddyn nesa.' Gwthiodd ei ferfa yn ei blaen at lecyn glas.

81

'A sut mae hi'r bore yma, frenhines yr allweddellau?' gofynnodd Arthur yn hwyliog wrth agor y drws iddi.

'Ddim yn rhy ddrwg. Ddim yn rhy ddrwg o gwbwl,' atebodd hithau.

'Ydi o allan heddiw?' holodd Arthur wedyn.

'Dim peryg. Ddydd Mercher cyn marchnad?'

'Wrth gwrs. Os oes ene ddiwrnod y gallwn ni ddibynnu arno fo i fod yma, hwn ydi o,' meddai Arthur. 'Mae o fel hogyn bach efo'i fwrdd Monopoli.'

Prysurodd Dilys at ei desg. Roedd hi'n naw o'r gloch. Trodd i weld a oedd y camerâu'n gweithio. Roedd y golau bychan coch arnyn nhw yn dweud eu bod nhw.

Roedd ceidwad pob til yn barod wrth ei safle, yn llwytho'r ddrôr arian o dan y cownter, a Freda a Hefina eisoes wrth eu desgiau yn dadansoddi gwybodaeth y cyfrifiadur o'r sgrinau o'u blaenau. Cododd y ddwy law frysiog ar Dilys cyn dychwelyd at eu tasgau. Roedd y cyfan yn ddarlun o effeithlonrwydd; pawb â'i swyddogaeth, pawb yn cydweithio heb darfu ar barth neb arall. Gallai glywed Linda i fyny'r grisiau yn rholio chwerthin am rywbeth. Diolchodd amdani.

Agorodd ddrws swyddfa'r rheolwr a daeth Dafydd drwyddo. 'Y tywydd yn troi,' meddai wrth Dilys gan ddiflannu i un o'r stafelloedd i fyny'r grisiau cyn iddi gael cyfle i ateb. Dychwelodd i lawr y grisiau yr un mor frysiog mewn hanner munud.

'Ydi,' ebe Dilys.

'Ydi be?'

'Y tywydd yn troi,' eglurodd Dilys.

'O,' ebe Dafydd a diflannu i ddiogelwch ei swyddfa unwaith eto.

Gosododd Dilys ei bag llaw ar y ddesg a chymryd y gasét ohono. Gosododd hi wrth y peiriant recordio galwadau. Trodd y peiriant ymlaen i wrando a nodi a fu galwadau o unrhyw bwys wedi i fusnes orffen y noson gynt. Dechreuodd dyletswyddau'r dydd.

Daeth Leyton i lawr y grisiau yn swnllyd gan weiddi 'su mae' yn frysiog. Nodiodd hithau i'w gydnabod. Gwyliodd

Dilys y gŵr ifanc yn mynd at wahanol aelodau o'r staff, yn gadael darn o bapur yma, yn codi darn fan acw. Arhosodd i egluro rhywbeth ar y sgrîn i Freda. Wrth ei weld yn prysuro, cofiodd Dilys am y diwrnod hwnnw pan ddaeth y ddau wyneb yn wyneb yn swyddfa'r rheolwr. Tybed a oedd hi wedi ei gamfarnu? Oedd yna haen o ddoethineb yn stelcian y tu ôl i'r dwyster ymarferol, taclus? Gwelodd ef yn edrych arni cyn troi'n ôl at Freda ond teimlai iddi weld arlliw o ansicrwydd yn ei ymarweddiad. Llechai amheuaeth yn yr ansicrwydd hwnnw. Tybed oedd hi wedi llwyddo i'w dwyllo yn swyddfa'r rheolwr? Roedd hi'n rhy hwyr i boeni am hynny nawr. Roedd y penderfyniad wedi ei wneud.

viii

'*Anything to give me ulcers?*' holodd Harvey Bateman ar ei ffordd heibio i ddesg Helen tua'i swyddfa i ddechrau diwrnod arall.

Edrychodd hi ar ei ddyddiadur. '*Only the usual ministerial briefing at ten thirty.*'

'*All typed up?*' holodd Bateman wedyn.

Estynnodd Helen i ddrôr a chyflwyno ffeil iddo.

'*Right, an hour to gather my thoughts. No disturbances please,*' gorchmynnodd wrth gerdded at ei ddesg gan droi'r tudalenau wrth fynd, ei feddwl ymhell. Cyn cau'r drws, trodd yn ôl yn freuddwydiol a gofyn, '*Any chance of some coffee?*' Yna caeodd y drws.

'*And a very good morning to you, Mr. Bateman,*' ebe Helen yn wawdlyd wedi sicrhau bod ei bòs o'i chlyw. Edrychodd ar y bag plastig wrth ei throed ac wedyn at y drws. Gwenodd. Cododd un o'r ddwy ffôn a gwasgu botwm ar y switsfwrdd. Daeth ateb y pen arall.

'*Morning, Letti. Helen here. Any chance of any coffee for he who must be obeyed? Twenty minutes? That'll be fine. Yes, milk and sugar and rat poison. That's it. Bye.*'

Eisteddodd yn ôl yn ei chadair gan edrych eto ar y bag. Yna dechreuodd ar dasgau'r dydd.

83

Roedd wats Dilys yn cytuno bron i'r eiliad â'r cloc trydan ar
y wal. Gwyliodd y bys munudau ar y naill a throi i edrych ar
y llall sawl gwaith cyn ei wylio'n troi ugain munud wedi
deg. Ystyriodd a oedd Harvey wedi eu siomi nhw.

Yr un adeg, agorodd Bateman ddrws ei stafell a rhoi'r ffeil
dan ei gesail.

Gwisgai ei siwt orau bob wythnos ar gyfer cyfarfod y
gweinidogion. Safodd yno i sicrhau nad oedd cen gwallt ar
ei ysgwyddau. Disgwyliai i Helen sicrhau nad oedd dim o'i
le cyn iddo fynd. Gwnâi hithau hyn yn rheolaidd bob dydd
Mercher er bod y dasg yn troi ei bol.

'Fine, Mr. Bateman, just fine,' ebe hi.

'Mustn't let the politicians get the better of us bureaucrats, must
we,' fyddai ei esgus bob tro. 'See you after lunch. I'm eating at
the club. Could you phone and fix up a table? One o clock.'

'Yes, Mr. Bateman,' atebodd wrth iddo adael. Yna wedi
iddo fynd, 'No, Mr. Bateman. Three bags full Mr. Bateman,' cyn
troi i ffonio'r clwb. Roedd am sicrhau na ddeuai dim i amharu
arni.

x

Chwarter i un ar ddeg oedd hi pan aeth Liam Murphy i'w
safle penodedig dan fondo cyntedd y George. Roedd y
cymylau yn casglu ac ychydig o law wedi dechrau disgyn.
Roedd Liam bob amser wrth ei fodd pan ddeuai glaw ar ôl
cyfnod o sychder, a safodd yn y cyntedd i edrych arno.

Funud yn ddiweddarach daeth y fan seciwriti ar hyd y
brif stryd, a dau gar y tu ôl iddi, eu gyrwyr yn amlwg yn
ddiamynedd. Roedden nhw'n falch hefyd o'i gweld yn troi i
barcio ar y ddwy linell felen y tu allan i'r banc a rhoesant
sbardun i'w ceir i gyflymu trwy'r dref. Edrychodd Liam
arnyn nhw'n mynd.

Ni ddaeth y swyddogion o'r cab yn syth, y ddau'n rhannu
jôc. Roedd hi'n amlwg nad oedden nhw'n meddwl bod

angen brysio ac roedden nhw'n teimlo'n rhesymol ddiogel yng nghawell eu cab. Agorodd y ddau y drysau gan barhau i chwerthin. Erbyn hyn roedd y ddau yn gwisgo'u helmedau gyda'r gorchudd o blastig clir dros eu hwynebau. Roedden nhw'n edrych braidd allan o le yn eu lifrai gwyrdd a'u hesgidiau trymion a'u gwasgodau llwyd â phobl y dref yn mynd a dod o'u cwmpas. Ni sylwodd fawr neb arnyn nhw. Trodd tair hen wraig i edrych am eiliad cyn prysuro yn eu blaenau â'u bagiau neges.

Roedd hi'n ddau funud i un ar ddeg pan ddaeth y ddau i mewn â'r ddau fag arian mân o grombil y fan. Dywedodd Dilys wrthyn nhw am fynd ar eu hunion i swyddfa'r rheolwr. Roedd wedi sicrhau nad oedd y drws wedi ei gloi, ac roedd Dafydd yn aros amdanyn nhw. Roedd tri llwyth o arian mân i'w gludo cyn i'r ddau fynd allan at y fan i nôl y bocs haearn a'r arian papur.

Curodd y gard ar y drws bychan yn ochr y fan ac agorodd y safn. Rhoddodd ei law i mewn i aros i'r gadwyn gael ei chysylltu wrth ei arddwrn. Edrychodd y swyddog arall o'i gwmpas i sicrhau nad oedd dim i godi amheuaeth yn unman. Nodiodd ar ei bartner a thynnodd hwnnw'r bocs arian o'r fan a'i gario i'r banc. Aeth y ddau i swyddfa'r rheolwr a chaewyd y drws. Roedd hi'n ddeng munud wedi un ar ddeg erbyn iddyn nhw orffen yr orchwyl â'r camera bach ger y cloc yn cofnodi popeth.

Fflachiodd y golau ar yr intercom yn ôl y disgwyl. 'Popeth yn barod,' daeth llais Dafydd yn glir.

'Iawn,' atebodd Dilys. 'Iawn Araucaria,' meddai wedyn wedi iddi ddiffodd y peiriant.

'Oeddech chi'n dweud rhywbeth?' meddai llais o'r tu ôl iddi.

'O Leyton! Peidiwch â rhoi braw i mi fel yna. Weles i mono chi yn fanne.'

'Meddwl eich bod chi'n siarad efo fi oeddwn i,' ebe Leyton wedyn.

'Wel, doeddwn i ddim ,' ebe Dilys braidd yn biwis.

'O,' meddai Leyton a phrysuro at Freda â darn o bapur yn ei law.

Eisteddodd Dilys yn ôl yn ei chadair i sadio. Anadlodd yn drwm. Edrychodd ar y cloc. Cododd dderbynnydd ffôn y switsfwrdd fymryn a'i osod yn ôl yn gam i sicrhau na allai neb ffonio i mewn. Roedd llinell ar wahân i'r staff ffonio allan. Cododd ac aeth trwy'r drws cefn i stafell y rheolwr.

Roedd y ddau gard yn cario bocs yn llawn o hen bapurau allan pan ddaeth hi i mewn. Roedd y bagiau arian yn erbyn y wal a'r arian papur yn bentwr taclus ar y ddesg. Roedd sgrîn y cyfrifiadur yn dywyll.

'Reit, Dilys. *Will you do the honours?*' ebe Dafydd wrth drosglwyddo taflen yr archeb arian iddi.

xi

Am chwarter wedi un ar ddeg trodd Helen yn ei chadair i wynebu'r cyfrifiadur a'i blygio i mewn. Trodd y peiriant ymlaen ond gwasgodd y botwm bychan ar y sgrîn i ddiffodd y llun, rhag ofn i rywun daro i mewn. Heb lun ni fyddai neb yn amau fod bywyd ynddo.

Symudodd y ffôn o'i desg i'r troli a'i gosod fel nad oedd y wifren mewn man lle y gallai rhywun faglu drosti. Cododd y derbynnydd a'i roi wrth ei chlust i sicrhau bod bywyd ynddo. Trodd yn ôl at ei desg a chymryd y ddisgen gyfrifiadurol a darn o bapur o'r bag plastig. Yn olaf trodd at y cyfrifiadur a rhoi'r ddisgen yn y peiriant a mynd ati i ufuddhau i'r cyfarwyddiadau ar y darn papur allweddol.

Nid oedd ond dau o'r allweddellau i'w taro i ddechrau:

(F1) i ddewis FUNCTION.
(F8) i ddewis MAIL o'r swyddogaethau hynny.
Wedyn dewis DRIVE A o'r ddewislen o'i blaen.
Clic ar OK.
Daeth cyfeiriad a rhif ffôn banc y Rhewl i focs ar y sgrîn.
Dewis RETURN o ddewislen arall.

86

Oedodd am ennyd i wneud yn siwr bod yr wybodaeth wedi ei throsglwyddo yn gywir. Diffoddodd y sgrîn.

Roedd pum munud ganddi yn ôl y cloc ar y wal. Edrychodd ar yr oriawr digital a gafodd drwy'r post gan Dilys. Ar honno roedd pedwar munud a deng eiliad yn weddill.

xii

Roedd hi'n hanner awr wedi un ar ddeg pan oedd Dilys yn arwyddo bod yr archeb yn gywir. 'Gobeithio na fu dim galwadau. Dydw i ddim yn cofio imi drosglwyddo'r ffôn i'r fan hyn,' meddai, 'Gwell i mi wneud yn siŵr.' Gadawodd yr ystafell.

Cyfarchodd y gard oedd yn aros am wrth-ddalen y dderbynneb ac eisteddodd wrth ei desg. Gosododd y gasét fechan yn y peiriant recordio galwadau a throdd swits ar y switsfwrdd i drosglwyddo'r cynnwys i swyddfa'r rheolwr. Gwasgodd fotwm yr intercom. Yn olaf gwisgodd ei ffoniau clust.

'Helô?' daeth llais Dafydd.

'Rhywun sy'n swnio braidd yn flin am air ar frys. Gymerwch chi'r alwad?'

'Oes raid?'

'Mae o'n swnio braidd yn bwysig. Rhywbeth personol, medde fo. Doedd o ddim am roi ei enw.'

'O, olreit te,'

Gwelodd Dilys oddi wrth y switsfwrdd bod y rheolwr wedi codi ei dderbynnydd, a gwasgodd hithau fotwm y recordydd.

Fyddai Dafydd yn adnabod ei lais ei hun â'r tâp wedi ei arafu ychydig? Roedd hi'n ffyddiog.

'Hello, Mr. Pritchard.'

'Hello,' atebodd Dafydd.

'I have rather an important message for you.'

Roedd rhywbeth mileinig o annaearol yn y llais a'r dull stacato yr yngenid y geiriau gyda phwyslais annisgwyl ar ambell air. *'At this moment,'* parhaodd y llais,' *I am in your house. Your wife and your children are with me, or should I say us.'*

Gwawriodd gwirionedd y sefyllfa ar Dafydd ac aeth ias trwy ei gorff a gwrid i'w wyneb. *'But . . . '* meddai, ond torrodd y llais ar ei draws.

'Would you like a word?'

Ni allai hi weld, ond gallai Dilys glywed y digwyddiadau y tu fewn i'r swyddfa ar estyniad ei ffôn. Gwenodd unwaith eto ar y gard oedd yn eistedd yn amyneddgar ar un o'r cadeiriau y tu allan i'r swyddfa. Daeth un o flaenoriaid un o'r capeli lleol i mewn i'r banc. Cyfarchodd Dilys ef wrth iddo fynd i aros ei dro. Edrychodd o gwmpas ar ei chyd-weithwyr a gweddill y cwsmeriaid. Doedd neb yn amau dim.

Clywodd Dafydd sŵn tuchan yn dod dros y ffôn ac wedyn lais ei wraig yn gweiddi arno, 'Dafydd, Dafydd, Dafydd!'

'Ia, cariad be sy? Be' sy'n bod? Be gythrel sy'n digwydd ene?'

Torrodd llais Lois ar ei draws, 'Maen nhw yma! Maen nhw'n 'i blydi feddwl e. Gwna, gwna beth maen nhw'n weud.'

Daeth y llais yn stacato fel petai artaith yn effeithio ar bob gair.

'Now sit down and listen. Listen!' Daeth y llais yn gryf a phendant. *'In your seat. Yes we are watching you. Yes, through that camera on your wall. Technology's a wonderful thing, you know. Pictures down telephone lines and in the comfort of your own home, too. Your secretary has just left your room, if you don't believe me. Bit old for my taste. Came with the job?'* Rhythodd Dafydd ar y camera â chwys yn berlau ar ei dalcen. *'Yes we are sitting in front of the television looking at you,'* daeth y llais stacato eto. *'So don't do anything silly.'*

Dychmygai Dafydd ei wraig a'r ddau blentyn yn eistedd ar y soffa â'u dwylo ynghlwm; Elastoplast dros gegau'r plant. Rhaid eu bod wedi dod i'r tŷ cyn i Lois fynd â nhw i'r ysgol. Dychmygai ddagrau yn llifo i lawr eu gruddiau ac ofn yn llygaid ei wraig; ei gwallt erbyn hyn yn swp aflêr, chwyslyd.

Fflachiodd syniad am ladron yn rheibio gwystlon i'w feddwl. Ceisiodd weld rheswm rhwng lluniau brawychus ei ddychymyg ond ni ddôi dim. Ni ellid ond ufuddhau yn wylaidd i reswm arswydus y llais. Dychmygai ei fod yn dod o geg a siarad trwy dwll mewn balaclafa du.

'*Stay calm, and everything will be alright,*' meddai'r llais eto. '*Everything will be as right as rain, provided you do as you are told.*'

'*O.K., O.K.,*' atebodd Dafydd yn wyllt. '*Just tell me what to do. Don't harm them. Just tell me.*'

Nid atebodd y llais am eiliad, fel petai'n ystyried y cam nesaf.

'*Activate the computer,*' ebe'r llais a thawelu. Clywodd Dilys Dafydd yn rhoi'r derbynnydd i lawr ar y ddesg a gwasgodd fotwm saib y recordydd.

Daeth ateb pryderus Dafydd, '*Right, what now?*'

Gwasgodd Dilys y botwm saib eto a pharhaodd y tâp. '*Now link your direct line phone into the modem.*' Clywodd Dilys ef yn ufuddhau i'r gorchymyn.

'*Yes, I've done that.*'

'*You know how to accept E Mail, don't you? Batman may have something which might interest you. He'll be in touch. Just sit, look and wait. We need not talk any further.*'

Gallai Dilys glywed Dafydd yn ymladd â'r llygoden gyfrifiadurol oedd yn arwain y saeth ar draws y sgrîn i agor y drws i negeseuon electronig.

'*Sorry to keep you,*' ebe Dilys wrth y gard. Amneidiodd yntau nad oedd dim brys a'i fod yn mwynhau ysbaid o lonydd.

xiii

Aeth tri munud a hanner heibio fel oes i Helen. Roedd yn ofni y câi ei dal, ac fel y dynesai'r amser roedd ei meddwl yn mynd ar ras. Roedd y munudau, wrth dician yn eu blaenau, fel petaen nhw'n hoelio'i meddwl ar realaeth y sefyllfa. Nid ffantasi mo hyn mwyach.

'O shit,' meddai, a chyda llwnc penderfynol o boer, cododd y derbynnydd a'i roi wrth ei chlust. Deialodd rif arbennig rheolwr banc y Rhewl tra'n gwylio'r eiliadau'n dianc bob yn un.

Roedd hi'n hanner gobeithio fod nam ar y lein, nam a rwystrai'r cysylltiad ond daeth clic bychan a thôn denau fecanyddol i ddynodi cysylltiad â chyfrifiadur. Rhoddodd y derbynnydd yn y crud a gysylltai â'r cyfrifiadur o'i blaen. Roedd tramwyfa agored yn awr i ddau gyfrifiadur gyfathrebu.

Doedd ond un weithred yn weddill sef taro'r botwm ENTER ar y cyfrifiadur. Yna byddai ei gorchwyl ar ben. Byddai gwybodaeth y ddisgen wedi cael ei throsglwyddo cyn iddi dynnu ei bys oddi ar y botwm. Cyfrifodd yr eiliadau. Roedd hi eisoes hanner y ffordd i lawr y llethr llithrig ac ni wyrodd ei bys ar ei ffordd at y botwm.

Tap, a dyna'i thasg ar ben. Trodd oddi wrth y cyfrifiadur, cau ei llygaid yn dynn a tharo dau ddwrn yn galed ar y ddesg fel pe bai'n disgwyl i'r peiriant ffrwydro.

Ni ddaeth un sŵn ohono. Arhosodd felly am eiliad neu ddau, ei hwyneb yn grimp.

'Anything the matter?'

Daeth llais yn union o'i blaen. Agorodd ei llygaid led y pen i weld Harvey Bateman wedi dod yn gynnar o'i gyfarfod.

'No,' atebodd hithau mewn llais pell. Roedd ei chorff wedi rhewi.

'Sure?'

'Yes,' atebodd Helen, braidd yn sydyn yn ei barn hi iddi fod yn gredadwy. Yna clywodd ei hun yn dweud, *'Yoga, sir, you should try it.'*

'Looked like a tribal ritual for a wild Welsh woman. Keep taking the tablets,' meddai a throi tua'i swyddfa. *'Bloody ministers. Think they're gods, cancelling meetings at the last minute. Summoned to see the PM, that's what he said. Anybody'd think they ruled the country.'* Caeodd y drws ar ei ôl, gweithred gyflym na fyddai'n haeddu dim sylw fel arfer ond un a ymddangosai'n boenus o araf i Helen. Clywodd gliced y drws yn bachu.

Trodd at y cyfrifiadur a edrychai yn hollol ddiniwed a goleuo'r sgrîn. Gwelodd y geiriau MESSAGE SENT yn y gornel chwith.

Diffoddodd y llun a thynnodd y derbynnydd o'r crud a'i roi yn ôl yn ei le. Tra'n gwneud hynny clywodd lais y tu ôl iddi eto. *'One o'clock lunch O.K.?'* Bateman. Trodd ond ni welai neb ond adnabu dinc tenau'r llais ar yr intercom. Gwasgodd y botwm i ateb y llais.

'Just for you, was it Sir?' holodd. Hyderai na chodai'r peiriant ddwndwr ei chalon yn dyrnu fel gordd yn ei bron.

'Yes, sorry. Gentlemen only I'm afraid, Helen,' ebe llais Bateman.

'Hy, hy,' ebe Helen wedi iddi glywed clic y datgysylltu.

xiv

Rhaid nad oedd ei hamseriad yn hollol berffaith, meddyliodd Dilys gan i gryn hanner munud fynd heibio cyn iddi glywed swn yn dod i lawr y ffôn. Pe bai'r bwlch yn rhy hir, byddai'r syniad o reolaeth gyfan y tu allan i'r digwyddiadau yn swyddfa Dafydd yn cael ei golli. Gwaeth byth pe na châi'r neges ei hanfon o gwbwl. Aeth ansicrwydd drwy ei meddwl wrth iddi ystyried doethineb rhannu ei ffantasi â pherson oedd i bob pwrpas yn ddieithr iddi.

Gwasgodd fotwm yr intercom. 'Ydech chi am i mi roi'r dderbynneb i'r gard, Mr. Pritchard?'

'Ddim eto,' daeth llais Dafydd yn gysurlon o ansicr a chyflym.

'Ydech chi am i mi ddod yn ôl i mewn?'

'Na na, popeth yn iawn,' atebodd Dafydd yn ddiamynedd.

Roedd Dafydd yn profi munudau gorffwyll wrth aros i eiriau ddod ar y sgrîn.

Gallai Dilys glywed symudiadau yn y swyddfa dros lein y ffôn oedd yn parhau ar agor, ond doedd dim digon i ddweud a oedd ei chynlluniau'n gweithio.

Eisteddai Dafydd wrth ei ddesg â'r gorchmynion o'i flaen yn ddigon i beri hunlle iddo.

HELLO
STILL HERE
NOW THIS IS WHAT WE FEEL YOU SHOULD DO
FIND TWO VERY LARGE ENVELOPES
IF YOU HAVEN'T GOT ANY IN YOUR OFFICE, ASK YOUR SECRETARY TO BRING TWO IN
DO THIS AND SCROLL THE PAGE

Roedd rheswm taclus y sgrîn yn ddigymrodedd. Edrychodd Dafydd yn wyllt tua'r cwpwrdd. Roedd Dilys wedi sicrhau bod cyflenwad ohonyn nhw yno.
Daeth ail dudalen y neges ar y sgrîn.

NOW, PUT ALL THE £20 NOTES IN ONE AND ALL THE £10 NOTES IN THE OTHER ENVELOPE
IF THERE IS ROOM, YOU CAN PUT SOME £5 BUNDLES IN TOO
WE WOULD LIKE TO SEE YOU DOING IT, SO DON'T OBSCURE THE CAMERA
DO THIS AND SCROLL THE PAGE
Oedodd, edrychodd at y camera ac wedyn ufuddhau.

MAKE SURE THAT ALL THE BUNDLES IN THE ENVELOPE ARE FLAT

Llyfnhaodd y ddau becyn yng ngolwg y camera.

I'M SURE YOU HAVE HARD CARDBOARD IN YOUR FILING CABINET DIVIDING THE FILES
TAKE FOUR PIECES AND PLACE THEM IN THE ENVELOPES, ONE ABOVE AND ONE BELOW THE NOTES TO MAKE THE PACKAGE FIRM
WE WOULDN'T LIKE ANYONE TO SUSPECT WOULD WE?
DO THIS AND SCROLL THE PAGE

Aeth i nôl dyrnaid o ffeiliau o'r cabinet a dewis rhai addas i'w gwthio i'r amlen. Gwasgodd y botwm.

SEAL THE ENVELOPE IN FRONT OF THE CAMERA
NOW WRITE YOUR NAME AND YOUR ADDRESS ON THE FRONT OF EACH ENVELOPE
DO THIS AND SCROLL THE PAGE

Dôi'r geiriau i'r sgrîn mewn tameidiau llyncadwy a roddai ddigon o amser i Dafydd ufuddhau i bob gorchymyn. Prin y gallai ysgrifennu gan fod ei law yn crynu gymaint ond llwyddodd.
Parhaodd y geiriau i ddod i'r sgrîn.

NOW THEN WE COME TO THE DIFFICULT BIT

I WOULD LIKE TO REMIND YOU AT THIS POINT THAT WE ARE WATCHING, AND YOUR FAMILY TOO. DON'T LET US DOWN. WE WOULD ALL HATE YOU TO DO ANYTHING YOU WOULD REGRET
THE IMPORTANT THING TO REMEMBER IS TO BE CREDIBLE, THEN EVERYTHING WILL BE FINE

TAKE THE TWO ENVELOPES AND GIVE THEM TO YOUR SECRETARY AND TELL HER TO GIVE THEM TO THE SECURITY GUARD
TELL HER THAT THEY ARE COMPUTER PRINTOUTS TO BE TAKEN TO YOUR HOUSE

WE HAVE OBSERVED THAT THIS IS NOT UNUSUAL

STAND BY THE DOOR SO THAT SHE NEED NOT COME INTO THE OFFICE AND IT IS IMPORTANT THAT YOU STAY IN VISION

THEN CLOSE THE DOOR AND SIT AT YOUR DESK

THEN SCROLL THE PAGE

REMEMBER, BE CREDIBLE

Roedd dychymyg Dafydd erbyn hyn wedi rhoi cig a gwaed hollol ddieflig i anfonwr y negesau. Roedd y bygythiad o drais a'r wybodaeth ynghylch cyfrifiaduron yn rhoi darlun o anghenfil unigryw, un nad oedd modd ei wrthod ac roedd Dafydd wedi trosglwyddo ei ewyllys i'w ewyllys ef. Doedd ganddo ddim dewis ond ufuddhau.

Cododd â'r ddwy amlen yn ei ddwylo. Agorodd ddrws cefn ei ystafell. 'Gofynnwch iddyn nhw fynd â'r printouts yma adre i mi,' ebe Dafydd yn fflat.

Derbyniodd Dilys yr amlenni â rhyddhad. 'Mi fedra i roi'r dderbynneb iddyn nhw felly.'

'Medrwch,' ebe Dafydd a chau'r drws.

Trodd Dilys at y ffenest ac amneidio ar y gard i ddod ati. Cododd yntau. Trosglwyddodd yr amlenni iddo drwy'r ffenest.

'Pop these computer printouts to the manager's house on your way, will you please? It's on your way.'

'O.K., luv,' atebodd y gard. *'Receipt?'*

'Oh yes, silly me,' ebe Dilys a throsglwyddo'r darn papur drwy'r ffenest.

'Have a nice day,' ebe'r gard wrth ymadael.

Dychwelodd Dafydd i'w gadair y tu ôl i'r sgrîn a gwasgodd y botwm.

SUGGEST YOU GIVE HALF AN HOUR FOR THE SECURITY VAN TO ARRIVE. THEN YOU CAN CALL THE CAVALRY IF YOU WANT TO

REMEMBER, WE ARE WATCHING

THANK YOU FOR YOUR CO-OPERATION IN THIS MATTER

Wedyn dim.

Cododd y derbynnydd arall oedd yn gorwedd o hyd ar ei ddesg a'i roi wrth ei glust. Doedd dim ond tawelwch. Gwasgodd y botwm sgrolio ar y cyfrifiadur. Dim eto. Yn sydyn roedd unigrwydd ei sefyllfa bron yn drech nag ef.

Doedd dim ond golau coch y camera yn gwmni iddo a rhythodd arno fel petai'n chwilio am arweiniad oddi wrtho.

Tynnodd Dilys y gasét o'r peiriant a'i rhoi yn ei bag llaw. Sythodd dderbynnydd y ffôn a rhoi ei chot dros ei braich. 'Picio allan,' meddai wrth Freda. 'Cadw olwg ar y siop.' Amneidiodd Freda ateb cyn troi at y ffurflen oedd o'i blaen.

Curodd Dilys yn ysgafn ar ddrws y rheolwr. Clywodd 'dewch i mewn' petrus o'r ochr arall a rhoi ei phen i mewn.

'Picio allan i'r post,' meddai wrth Dafydd oedd yn rhythu ar y camera.

'Iawn,' atebodd, yn amlwg yn barod i gytuno i rywbeth er mwyn heddwch. Edrychodd Dilys yn frysiog dros y swyddfa. Gwelai'r bagiau arian ger y wal a'r bocs metel gwag yn llydan agored o flaen Dafydd, ac annibendod o ffeiliau ar lawr.

'Iawn te, mi â i te,'ebe hi.

'Iawn! Iawn!' meddai Dafydd yn ddiamynedd. 'Popeth yn iawn. Ewch!'

Caeodd Dilys y drws ar ei hôl a mynd at ei desg. Gwasgodd fotwm a agorai ddrws diogelwch yn y cownter ac aeth drwyddo. Welodd neb hi'n llithro rhwng y cwsmeriaid ond wedi iddi gyrraedd y cyntedd gwenodd yn braf. Gwisgodd ei chot a mynd allan i'r glaw.

Pennod 5

i

'Mae hyn yn blydi gwirion,' ebe'r plismon tal wrth y plismon byr wrth barcio'r Ford Sierra plaen mewn cilfach y tu allan i fyngalo Dafydd a Lois mewn tref gyfagos. *'Sit and observe,* myn diawl! Mi yden ni'n cael rhyw hanner stori o'r Rhewl gan y cracpot Liam Murphy ene. Be gythrel yden ni i fod neud?'

'*Sit and observe and report*, dyna be ddwedson nhw; felly dyna be wnawn ni,' atebodd y plismon byr. Cydiodd yn y meicroffon a'i dynnu at ei geg. '*Vesty and Price in position outside 26 The Larches. Nothing to report as yet.*'

'*O.K.*,' oedd ateb y llais.

'*Hang on*,' ebe'r plismon byr, '*a car has just turned into the street. Blue Fiesta, registration Kilo 412 Golf Oscar X-ray, coming towards the house. Carrying on past. Two women about fifty, looking really dangerous!*'

'*O.K. Vesty, no wise remarks*,' meddai llais sarrug wrtho.

'*What are we doing, anyway?*' holodd Vesty wedyn.

'*If I had time to tell you I would; now shut up and watch*,' meddai'r llais yn bendant wedyn.

'*I'm watching, I'm watching*,' ebe Vesty. '*What am I watching?*'

'*The house!*' daeth y llais yn finiog.

'*Sorry, Sarge.*'

'Hei mae ene fan yn troi i mewn i'r stryd,' ebe Price y plismon tal. 'Seciwriti fan myn diawl i!'

'*Security van turning into the street, coming towards us. It's stopping outside the house.*' Oedodd Vesty. '*Guard getting out. He's carrying a . . . what looks like a brown envelope . . . no two large brown envelopes. He's opening the gate and he's walking up the drive. He's ringing the bell. Exciting isn't it . . . A woman is opening the door, looks a nice bit of stuff. She's taken the parcels. She's thanking the guard. The guard is returning to the van. She's shutting the door . . . Guard gets into van . . . The van is pulling off. Now what?*'

'*Sit and wait*,' ebe'r llais. '*Back-up on the way.*'

'Back-up on the way, myn diawl! Mi faswn i'n lecio tase rhywun yn deud wrtha i be gythgam sy'n digwydd,' ebe Vesty.

'Paid â gofyn i mi,' oedd ateb ei bartner.

Siaradai Liam fel y brasgamai ar hyd y stryd i gyfeiriad y banc â Dilys yn trotian wrth ei ochr. 'Wel, ydech chi'n siŵr?' holodd am yr ugeinfed tro.

'Wel nag ydw, dydw i ddim yn siŵr. Ond os ydw i'n iawn,' ebe Dilys cyn i Liam dorri ar ei thraws.

'Wel, mi ydw i'n gobeithio'ch bod chi, myn diawl, neu mi fydda i'n destun hwyl y ffôrs i gyd erbyn fory.' Aeth y ddau i mewn trwy ddrws y banc. Trodd ambell un o'r ychydig gwsmeriaid i edrych arnyn nhw cyn troi'n ôl at eu busnes. Achosodd naturioldeb yr olygfa i Liam ailfeddwl am ennyd cyn prysuro ymlaen.

'Mi ddweda i'ch bod chi am 'i weld o, iawn?' ebe Dilys.

'Iawn,' atebodd Liam yn ddrwgdybus. Roedd yn cael y teimlad ofnadwy ei fod wedi cael ei sugno ar drywydd na fynnai fod arno, ond roedd hi'n rhy hwyr i droi'n ôl erbyn hyn. Roedd heddlu'r dref wedi cael eu gosod o gwmpas tŷ'r rheolwr yn barod i daro.

Agorwyd y drws i Dilys fynd y tu ôl i'r cownter ac aeth yn syth at ei desg. Gofynnodd i Freda a oedd Dafydd wedi dod allan o'i swyddfa. Ysgydwodd honno'i phen. Erbyn hyn roedd hi wedi deall fod rhywbeth o'i le.

'Be sy?' gofynnodd cyn i Dilys ei thewi drwy chwifio ei llaw.

Gwasgodd Dilys fotwm yr intercom ac edrychodd ar ei wats. Roedd ymron hanner awr ers i'r gard ymadael gyda'r amlenni.

'Mr. Pritchard. Mr. Pritchard. Ydi popeth yn iawn?'

'Yn iawn,' daeth llais brysiog Dafydd yn ôl.

'Sarjiant Murphy am eich gweld chi. Braidd yn bwysig. Gaiff o ddod i mewn?'

'Ddim eto,' meddai Dafydd.

'Mae o'n dweud fod yn rhaid iddo fo eich gweld chi rŵan.'

'Ddim rŵan!' gwaeddodd Dafydd yn groch.

'Ydych chi'n siŵr fod popeth yn iawn, Mr. Pritchard?'

Cyn iddi orffen ei brawddeg, clywodd y clic bychan a ddynodai bod y cysylltiad wedi cael ei dorri ac wedyn glic y drws yn cael ei gloi o'r tu fewn.

'Pwy yden ni ynte, Pricey i wneud penderfyniadau mawr fel anfon back-up team i mewn? Os yden nhw isio anfon y back-up team i mewn, gadael iddyn nhw ei anfon o, dyna be ddweda i.'

'Vesty,' meddai'r llais dros y radio eto.

'Yes, Sarge.'

'What do you see?'

'You really want to know? It's rivetting stuff.'

'Can you see anybody moving in the house?'

'Um, yes.'

'Who then?'

'The woman who came to the door.'

'Anyone else?'

'No.'

'Sure?'

'Positive.'

'What's she doing?'

'Not a lot. She looks as if she's making tea. No, hang on, she's coming out of the side door from the kitchen. She's going towards the bin. She's opening the bin. She's waving at someone, a neighbour. She's putting something in the bin. Do you want to know any more, Sarge?'

'Keep talking,' daeth y llais dros y radio.

'Now she's gone into the house. You're sure this is not some sort of wind up, Sarge?'

'Wyt ti'n cael y teimlad fod rhywun yn gneud hwyl am ein penne ni, Pricey?' meddai Vesty ar ôl sicrhau nad oedd modd clywed ei lais dros y radio.

'Ydw braidd,' atebodd y plismon tal. 'Nachdw!' meddai wedyn yn sydyn.

'Pam?' holodd Vesty.

'Dwi newydd weld y back-up team yn sleifio rownd ochor y wal draw fan acw. Hei ac yli, mae ene rywun yng ngardd drws nesa.'

'What's happening?' gofynnodd y llais eto.

'*Nothing Sarge, honest. All I can see is our boys trying to look like the S.A.S. creeping up to pounce on a woman making tea.*'

'*Sure now?*'

'*Absolutely,*' atebodd Vesty. '*Now, will someone please tell me what's going on?*'

'*O.K. All I know is that the manager in the bank has locked himself in his room and won't come out. Wait a minute.*' Aeth y lein yn farw. '*He's come out and says his wife and kids are being held to ransom.*'

'Mae hi'n edrych yn held to ransom iawn ond ydi hi,' ebe Vesty wrth Price. Yna, '*Look Sarge, either there's someone having us on or there's one gigantic cock up going on here. I'm sitting here looking at the house and the woman. I've never seen anyone less "held to ransom" in my life. Might it be a good idea to go and ask her?*'

'*What do you think?*' meddai llais ansicr y sarjiant dros y radio.

'*Damn it. She's just waved at a neighbour. We'll go and ask,*' ebe Vesty'n bendant. '*I think we could save a lot of red faces.*'

'*The money is supposed to be in the envelopes,*' ebe'r sarjiant. Yn amlwg roedd wedi cydsynio â syniad ei gwnstabl.

'*Yes, yes and the diamonds and the drugs, I know. We'll keep in touch.*' Trodd at ei gyfaill. 'Reit, Mr. Price, ydych chi'n meddwl y dylen ni fynd i gael gair â'r wraig landeg acw?'

'Iawn, Mr. Vesty,' ac agorodd ddrws y car.

Cerddodd y ddau at y drws a chanu'r gloch gan wenu'n wybodus ar eu cyd-blismyn yn llechu o gwmpas y tŷ.

Sylwodd Vesty ar yr enw Tir na' Nog wedi ei naddu mewn darn o lechen ger y drws a phenderfynodd siarad Cymraeg â'r wraig.

Daeth Lois at y drws yn dal i gydio yn y gwpanaid goffi. Gwisgai siwt loncian binc.

'Helô,' ebe Vesty. 'Mae'n ddrwg gen i darfu arnoch chi. D.C. Vesty ydw i a dyma D.C. Price o'r C.I.D. yn Aber.' Dangosodd ei gerdyn gwarant iddi. Edrychodd hithau ar y cerdyn ac wedyn arno yntau gan ymddangos fel pe bai mewn penbleth.

"Sdim byd 'di digwydd i'r plant, oes e?'

'Na, popeth yn iawn, dim problem.'

'Y gŵr, te?'

'Na, na, dim ond isio gofyn un neu ddau o gwestiynau i chi oedden ni.'

'O,' ebe Lois, yn amlwg wedi cael rhyddhad.

Edrychodd Vesty ar ei bartner, wedyn ar y llawr. Pesychodd cyn dweud, 'Wrach bod y cwestiwn yn un braidd yn od, ond oes yna rywun yn y tŷ sy'n bygwth eich lladd chi neu rywbeth felly?'

Edrychodd Lois yn ddrwgdybus ar y ddau cyn ateb, 'Ych chi 'di dod i'r tŷ iawn?'

'Ydw! Does yna neb yn bygwth eich lladd chi, 'lly.'

'Dewch mlaen, mae'r gŵr wedi gofyn i chi wneud hyn, on'd yw e?'

Amneidiodd Vesty ar Price i fynd i sicrhau fod y back-up yn diflannu rywsut. 'Dwi'n meddwl y bydde hi'n well i mi ddod i'r tŷ i egluro,' meddai.

'Bydd.'

Wrth iddyn nhw fynd i'r cyntedd, gwelodd Vesty'r ddwy amlen heb eu hagor ar fwrdd ger y ffôn. Edrychodd trwy'r drysau i'r ystafelloedd. Ni welai neb.

'Chi'n gweld, ' ebe Lois, 'smo'r P.L.O. na'r I.R.A. wedi bod 'ma'r bore 'ma.'

'Na, mi ydw i'n gweld hynny,' meddai Vesty gan geisio cuddio'r embaras yn ei lais. 'Falle 'i fod o'n ymddangos yn gwestiwn braidd yn hy, ond gaf i ofyn be sy yn yr amlenni 'na?'

'Print-outs am wn i,' ebe Lois braidd yn swta. 'Chi'n mo'yn pip arnyn nhw? Maen nhw'n ofnadw o ddiddorol. Fe ddaeth y bobol seciwriti â nhw yma ryw ddeng munud yn ôl. Mae'r gŵr yn hala printouts adre 'ma'n reit amal. Rheolwr banc yw e.'

'Wel, meddwl oedden ni fod arian yn yr amlenni'r tro hwn,' ebe Vesty braidd yn gloff.

'Chi'n jocan ond ych chi,' atebodd Lois.

'Wel, mae arna i ofn nad ydw i ddim, Mrs. Pritchard. Fasech chi gystal â'u hagor nhw i mi gael gweld?'

100

'Oes hawl 'da chi i wneud hyn? Mae'r peth yn hollol dwp. Smo chi'n meddwl fod y gŵr yn mynd i anfon arian y banc adre 'ma, ych chi?'

'Na, does gen i ddim hawl, ond mi alla i 'i gael o, ac ydw, mi rydw i'n meddwl y base hi'n bosib iddo fo anfon arian adre.'

'Peidiwch â bod yn dwp.'

'Na, dydw i ddim yn dwp, Mrs. Pritchard, ond mi faswn i'n temlo'n lot hapusach pe baswn i'n gwbod beth sy yn yr amlenni 'na.'

Roedd anghrediniaeth Lois yn glir ar ei hwyneb wrth iddi hi gydio yn un o'r amleni. Oedodd cyn iddi ei rhwygo.

'Fe fydde'n well i mi ffonio'r gŵr. Amlenni'r banc ydyn nhw. Smo nhw ddim i'w wneud â fi.'

'Dwi'n meddwl y bydd hi braidd yn anodd dod i gysylltiad â fo ar hyn o bryd,' ebe Vesty. 'Agorwch hi Mrs. Pritchard,' meddai, 'os gwelwch yn dda,' ychwanegodd.

Eisteddodd Lois ar gadair yn y cyntedd â'r amlen ar ei glin. Rhwygodd hi'n ofalus rhag niweidio'r cynnwys. Edrychodd tu mewn i'r amlen a syllu'n syn ar y plismon a safai o'i blaen. Yna gwagiodd lwyth o bapurau decpunt ar lawr y cyntedd. Teimlai fel llewygu.

iv

Codai ambell chwerthiniad i darfu ar awyrgylch dawedog ystafell fwyta'r clwb. Llithrai'r gweinyddion yn ddistaw rhwng y byrddau â swn eu traed yn cael ei foddi gan drwch y carped. Gellid clywed tincial y cyllyll a'r ffyrc ar y platiau a doedd dwndwr y stryd ond murmur yn y cefndir. Eisteddai Harvey Bateman ar ei ben ei hun mewn cornel. Dyna sut yr hoffai fod gan amlaf, er y byddai bargen weinyddol yn cael ei tharo'n ddistaw dros y llestri weithiau. Câi gyfle i orffen ei groesair yn y *Times* a rhowlio brandi rownd taflod ei enau tra'n gwylio ei gyd-uwchweision sifil o bell. Ystyriai fod y pellter hwnnw'n meithrin rhyw barchedig ofn yn ei gyfoedion, ac os deuent i gydfwyta ag ef, deuent at ei fwrdd fel petaent yn dod yn wahoddedigion i diriogaeth sanctaidd.

Gwyddai'r gweinydd na fyddai'n boblogaidd wrth iddo darfu arno ond tarfu oedd raid. *'Your secretary is on the phone, Mr. Bateman.'*

'What, now?'

'Afraid so, Mr. Bateman,' a chysylltodd wifren y ffôn a gariai â'r cysylltiad pwrpasol yn y wal. Gwagiodd Bateman weddill ei wydr brandi gan y gwyddai fod cyfnod ei heddwch wedi dod i ben.

'Hello, Bateman speaking,' meddai gan geisio swnio'n flin.

'Helen here. Sorry to disturb your lunch but there seems to be a bit of a flap on. Something going on in the Rhewl, in Wales. Head office at the bank stressed that I get in touch with you immediately. Sounded serious.'

'Serious? How serious?' â'r dinc luddedig wedi diflannu o'i lais.

'Very.'

'Did they give you any hint of what the flap is about?'

'Not really. They wish to speak to you personally.'

'Can't they wait?'

'The person I spoke to didn't sound like the waiting kind so I didn't argue,' atebodd Helen.

'It wasn't Cotter was it?' holodd Bateman.

'No, a Mr. Ellison. He sounded as if you knew him.'

'Sit tight. I'll be there in ten minutes,' ebe Bateman a rhoi'r derbynnydd yn ôl a chodi. *'Malcolm,'* meddai wrth un o'r gweinyddion, *'Put it on my tab.'* Amneidiodd Malcolm i ddynodi ei fod wedi derbyn y neges ond roedd Bateman eisoes wedi mynd trwy'r drws oedd yn arwain at y grisiau.

v

Roedd waliau'r ystafell yn swyddfa'r heddlu'n foel ar wahân i gloc ac ambell boster yn annog pobl i gloi drysau eu ceir. Bu ymgais i feddalu tipyn ar galedwch y lle â silff lyfrau a lamp weddol ddeniadol yn y gornel, eto prin y gellid dianc rhag awyrgylch gaethiwus y lle.

Eisteddent yn drindod o amgylch y ddesg. Arni roedd y ddwy amlen â'u cynnwys yn bentwr yn eu hymyl. Edrychai Dilys ar Dafydd. Edrychai yntau at y llawr ac edrychai Liam Murphy o'r naill i'r llall.

Sythodd Dafydd ychydig a chyrraedd am y gwpanaid o de a gludwyd iddo. Yfodd ychydig ond gellid gweld cryndod ar wyneb y te wrth iddo godi'r gwpan at ei wefusau.

Cododd y sarjiant â chlep bendant ei ddwy law fawr yn disgyn ar ei ddau ben-glin. Ymadawodd heb ddweud dim a chau'r drws ar ei ôl.

Roedd y distawrwydd yn llethol. Gellid clywed tipian y cloc yn eglur. Roedd hi'n un o'r gloch. Parhaodd y distawrwydd am o leiaf funud a Dafydd yn dal i syllu ar yr un pwynt ar y llawr.

'Neb yno. Neb wedi bod yno,' meddai'n synfyfyriol. Nid ymatebodd Dilys. 'Be sy'n digwydd? Be aflwydd sy'n digwydd, dwedwch?' meddai wedyn.

Nid ymatebodd Dilys y tro hwn ychwaith.

vi

Cyn pen saith munud roedd Bateman yn ôl yn y swyddfa, a daeth trwy'r drws â'i wynt yn ei ddwrn. '*Any news?*' holodd wrth fynd heibio i ddesg Helen. Prin y cafodd hi gyfle i ddweud nad oedd, cyn i Bateman ddiflannu i'w ystafell.

'*Get me Ellison,*' meddai dros yr intercom.

'*Yes, Mr. Bateman,*' atebodd hithau a phrysuro i'w gysylltu â'r gyntaf o nifer o alwadau. Bu'r gwifrau'n boeth am gryn hanner awr.

Tua deng munud wedi dau oedd hi pan ganodd cloch y teleffon fewnol a daeth llais y porthor, '*Package for Mr. Bateman, marked urgent. Shall I bring it up?*'

'*Anything interesting?*' holodd Helen.

'*Security reckon it's a computer disc. It's been screened.*'

'Who brought it?' holodd Helen wedyn.

'Firm of couriers, Easy Rider according to my records. It's marked urgent, so I thought I'd better bring it up straight away.'

'Fine, Gordon,' a rhoddodd Helen y ffôn i lawr.

Sylwodd oddi wrth y golau ar y switsfwrdd nad oedd Bateman ar y ffôn. Gwasgodd fotwm yr intercom.

'Yes, Helen?'

'Were you expecting a package from anyone?' holodd.

'Not that I can recall,' atebodd Bateman.

'Well, there's one on the way up. Gordon said it was marked urgent.'

'Oh?' ebe Bateman â thôn arwyddocaol yng nghywair yr ebychiad.

Dôi Gordon trwy'r drws bob tro â rhyw sylw am Wells Fargo neu ei fod wedi bod yn ymladd â llwyth o Indiaid Cochion ar y grisiau er mwyn cludo'i neges i'r swyddfa. Doedd heddiw ddim gwahanol a chamodd trwy'r drws gan gyhoeddi, 'The mail must get through.'

'Thank you, Gordon,' ebe Helen gan dderbyn y pecyn.

'Anyway, free tonight to make an old man happy?' holodd Gordon wrth ymadael.

'Washing my hair,' atebodd Helen.

'Don't know what you're missing,' atebodd wrth gau'r drws.

Gwasgodd Helen fotwm yr intercom eto. 'Package here, Mr. Bateman.'

'Bring it in, Helen,' ebe Bateman â'i lais yn awgrymu bod ei feddwl ymhell.

Pan agorodd Helen ddrws y swyddfa gwelodd ddyn mewn penbleth amlwg. 'Anything the matter, Mr. Bateman?'

'No,' atebodd hwnnw'n synfyfyriol, 'I mean, yes.'

'Oh,' ebe Helen. 'Serious?'

'A little.'

'Oh,' ebe Helen eto. 'Perhaps this will cheer you up.' Cyflwynodd y pecyn i Bateman. 'It's been screened. Security says that it's a computer disc. It's marked urgent and personal.'

'Thank you, Helen.'

Trodd hi i ymadael. 'Helen,' ebe Bateman wrth iddi

104

gyrraedd y drws, *'you know Mr. Pritchard, our friend from the Rhewl.'*

'Yes.'

'Well it seems he tried to steal forty thousand pounds of the bank's money.'

'What?' ebychodd Helen. *'It goes to show that you can't trust anyone nowadays.'*

'No, indeed not. Thank you, Helen,' ebe Bateman gan ymroi eto i fyfyrio.

Dychwelodd Helen i'w sedd yn ei hystafell. Caeodd ei llygaid am eiliad cyn dyrnu'r awyr mewn gorfoledd. Wedyn eisteddodd yn ôl i'w chymoni ei hun fel y byddai'n barod i ymddangos yn ffurfiol ac effeithlon o flaen ei phennaeth.

Bu galw am y ffurfioldeb hwnnw'n lled fuan pan ddaeth galwad dros yr intercom ar iddi ddod â'r cyfrifiadur i mewn. Gwthiodd hi'r system gyfrifiadurol i'w ystafell a'i gysylltu. *'Do you want me to set up the program?'* holodd.

'No, I'll take it from here,' ebe Bateman gan ddal disgen gyfrifiadurol yn ei law fel petai'n ysu am ei rhoi ym mol y peiriant. Wedi i Helen gau'r drws fe'i gosododd cyn gwasgu'r botwm i'w dadlwytho. Clywodd sio tawel y ddisgen yn troi ac yn stopio. Yna daeth golau bach i gornel y sgrîn i ddynodi bod ei chynnwys ym mherfedd y cyfrifiadur. Gwasgodd RETURN a llifodd y geiriau i'r sgrîn. Gwelwodd wrth ddarllen.

Dear Harvey

I write to confess to the crime perpetrated in y Rhewl today. I presume that the courier arrived on time but I assume that you must have already heard if the modern bush telegraph is as effective as I believe it to be. I thank you for the opportunity and the technology to make it possible.

Your 'boy', if you'll pardon the expression, is well and truly disgraced and I dare say there will be a number of red faces around head office. You are hitherto untainted by events, a situation I propose to remedy unless certain conditions are met.

There is on this disc a sufficiently comprehensive breakdown of the nasty little Monopoly game you have played with the lives of real people. There are copies ready for dispatch at the appropriate time to every newspaper in the land. Such details would not reflect well upon a government anxious to present a caring face in a run-up to an election. Scapegoats would have to be found and heads would have to roll, yours being one.

Such public details would also 'thrill' the banking fraternity. This sort of clandestine activity is hardly in keeping with the idea of trust on which the industry is founded.

Associated Electronics, of which Pixel is a subsidiary, would not be pleased at being involved with obvious government collusion in the experiment. I am sure that an astute reporter might well draw attention to the fact that the government's missile guidance factory in North Shields was sold to them at what could be considered a knock-down price. Shareholders are fickle creatures these days.

Is it ethical for a government official to be an economic adviser to such a company? The Office of Fair Trading might well look askance at such a liaison.

The possible mayhem is almost infinite should the information reach the ear of the general public. I am therefore confident that you can find your way clear to complying with the following:

1. The removal of Dafydd Pritchard from y Rhewl. He is talented but misguided.

2. The discontinuation of the 'experiment'.

3. The return of jobs to the Pixel factory in y Rhewl.

4. That you find alternative, less harmful employment once the job is done.

Conditions 1 and 2 to take effect immediately. I will allow six months for the factory to become fully operational again.

I am sure that you have the necessary influence to ensure total compliance.

This is blackmail, of which I am very proud. It has been a great temptation to confess to my crime and claim the 'credit'. I have hitherto resisted that temptation in the belief that constructive activity is better than destructive revelations, despite the personal gratification I would gain. I trust that you will not give me cause to alter my opinion and that today's events might serve to convince you of the seriousness of my intentions.

Harvey, you were dashing, you were debonair and you were bright, a man to turn any young lady's head. You almost turned mine but you had no compassion. That was your fault. It seems that a leopard never changes its spots.

For times long gone by but not yet forgotten,

Dilys.

P.S. Helen is as yet blissfully ignorant of everything. I have at least spared some of your blushes.

Sgleiniai'r chwys ar dalcen Bateman a theimlai'r tyndra yn ei wddw. Roedd ffurfioldeb y llythyr yng nghyd-destun digwyddiadau'r dydd yn rymus o haearnaidd.

Rhoddodd Helen ei phig i mewn trwy'r drws. *'Just popping the mail down to . . .'* Arhosodd o weld wyneb Bateman yn troi ati fel petai wedi gweld drychiolaeth. *'Are you alright?'* gofynnodd.

'Yes.'

'You look a bit pale. Are you sure?'

'Yes. Yes thank you, Helen.'

'Anything else you want me to post?'

'No. No thank you,' meddai Bateman fel petai'n ymbalfalu am yr adwaith cywir. Ni ddywedodd hi ddim. Fe'i gadawodd yn eistedd yn ei gadair ac yn rhythu fel ynfytyn ar y sgrîn. Gwelodd ef yn pwyso ymlaen i wasgu botwm i rowlio'r ysgrifen. Ni welodd ef yn gwasgu eto ac eto fel y dôi manylion ROUSE fesul adran o flaen ei lygaid.

Rhoddodd Helen y bag Miss Selfridge a'i gynnwys yn y bin sbwriel ar y palmant ger drws y Weinyddiaeth.

Tua hanner awr wedi tri oedd hi pan ddaeth Liam i mewn i'r ystafell lle'r eisteddai Dafydd a Dilys ac Arthur siciwritis.

Bu cryn grafu pen ers awr ynghylch beth i'w wneud. Parhâi'r amlenni ar y ddesg. Bu holi. Bu rhagor o grafu pen. A fu trosedd? Os do, gan bwy a pham? Pwy oedd yn gyfrifol am ffonio, am roi'r neges drwy'r cyfrifiadur? Gallai'r anfonydd fod wedi bod yn rhywle.

'Wel dyna ni,' ebe Liam gan edrych yn ddisgwylgar am adwaith.

'Dyna ni be?' holodd Arthur.

'Dyna ni. Dim ond dyna ni. Diolch yn fawr am eich cwmni a da bo chi i gyd. Cymerwch y dystiolaeth efo chi.'

'I ble?' holodd Arthur wedyn.

'A bod yn hollol onest, does gen i ddim ots be newch chi efo hi. Mi gewch chi'i thaflu hi i'r pedwar gwynt cyn belled ag yr ydw i'n bod, dim ond i chi fynd â hi oddi yma.'

'Be sy'n bod, Liam?' holodd Dilys.

'Dim byd, dim byd o gwbwl,' atebodd a phob gair yn awgrymog. Trodd at Dafydd a dweud, 'Os ydech chi isio chware giamocs efo'ch pres yn y banc yna, daliwch ati! Ond y tro nesa, da chi, peidiwch â dweud wrtha i, wnewch chi.'

'Does dim archwiliad yn mynd i fod?' gofynnodd Dafydd.

'Nag oes,' atebodd Liam yn goeglyd. 'Mae yna ryw angel gwarcheidiol yn edrych ar ôl pethe yn rhywle ac mae o 'di bod yn gweithio mewn dirgel ffyrdd heddiw. Dydi'r Prif Gwnstabl ddim eisio gwybod. Dydi'r banc ddim eisio gwbod. Pwy ydw i, ddyn bach cyffredin yma yn y Rhewl i wingo yn erbyn y symbylau, e? Ewch. Ffwrdd â chi.'

Gwyddai Dilys gyda'i eiriau na fyddai angen yr amlen a oedd ar fwrdd y gegin. Rhaid bod Harvey wedi plygu. Gallai ei chynnwys niweidiol aros yn gyfrinach. Byddai ei ddatgelu wedi bod mor aflêr. Hyderai na welodd Liam y rhyddhad yn ei llygaid.

Dechreuodd Dafydd siarad ond gwelodd wep y sarjiant a phenderfynodd gadw'n dawel. Cododd y tri a cherdded allan fel tri disgybl a dderbyniodd gerydd. Dilys oedd yr olaf i ymadael.

'Taswn i ddim yn . : .' Oedodd Liam ar hanner ei frawddeg ac oedodd Dilys hanner y ffordd drwy'r drws.

'Ia?' ebe hi.

'O, dim byd,' ebe Liam, yn amlwg wedi amau ddoethineb y sylw a fwriadodd ei gynnig.

Caeodd Dilys y drws gan adael y sarjiant yn edrych ar y glaw'n diferu i lawr cwarel y ffenest.

Pennod 6

Eisteddai'r trionglau cymesur o frechdanau ham ar blât hirgrwn yn y canol â'r deisen wrth eu hochr. Roedd tri lle wedi ei osod o gwmpas y bwrdd crwn ger ffenest y parlwr a thywynnai haul gwanwynol drwyddi ar y te dydd Sul. Nid parlwr moethus mohono ond o leia mi oedd o'n barlwr glân, meddyliodd Dilys. Bu wrthi er y bore yn hwfro ac yn rhoi sglein ar y brasys ar y silff ben tân a sglein ar y tsieni yng nghwpwrdd cornel ei mam. Bu'r ffenestri'n agored led y pen ben bore i gael gwared ar yr arogl llwydni yn yr ystafell. Nawr doedd dim ond arogl y cwyr ar y dodrefn.

Safai Dilys wrth y drws yn ei ffedog. Roedd popeth yn iawn, popeth yn barod. Roedd hi wedi gosod y cadeiriau esmwyth wrth y tân yn fwriadol. Byddai ei gwesteion yn naturiol yn cael eu tynnu atyn nhw i eistedd. Doedd hi ddim am i ffurfioldeb y bwrdd te fynd â'u bryd. Rhywbeth i godi ato o ffocws naturiol yr ystafell oedd y bwyd a'r araith a baratôdd i'w ddilyn. Rhoddai amser wrth y tân gyfle iddi gynefino â'r sefyllfa newydd.

'Be wyt ti'n feddwl, Twm?' ebe Dilys wrth i'r gath sleifio heibio at gynhesrwydd anghyfarwydd y parlwr. Trodd i edrych ar Dilys cyn cyrlio ar y mat. 'I'r dim, washi. Ond cadw di dy drwyn o'r brechdane ham yna.'

Estynnodd i boced ei ffedog am y llythyr oedd wedi dod o Lundain ddechrau'r wythnos gynt. Hwn fu'n ysgogiad iddi baratoi'r te. Agorodd ef a'i ddarllen unwaith eto.

London,
Wednesday.

Dear Dilys,

Been watching the ripples and very interesting they have been too. Been a very clever girl haven't you? The hewers of wood and drawers of water have more power than they know. Seems to me that you have wrapped things up very nicely, darling, redressed a lot of balances in one fell swoop.

Thought you'd like to know that your old friend from the Ministry seems to have thrown in the towel, taken early retirement and gone goat rearing in the Cotswolds or somewhere, writing his memoirs so I'm told. I'll keep the disc lest he thinks of revealing too much or of massaging the truth. Hope you like Helen's new position, bright girl, she'll do well.

Yours as ever,

B.

Plygodd y llythyr a'i roi'n ôl yn yr amlen cyn mynd at fflamau'r tân. Fe'i taflodd i'w canol a'i wylio'n llosgi. Yna trodd a mynd i'r gegin.

Canodd y gloch. Gosododd Dilys ei ffedog ar gefn cadair y gegin a mynd at y drws. Oedodd i edrych yn frysiog arni hi ei hun yn y drych hir yn y cyntedd a sgubo blewyn o'i hysgwydd.

Trwy'r gwydr lliwiog yn ffenestr y drws gallai weld siâp y ddau'n aros. Anadlodd yn ddwfn cyn agor iddyn nhw.

Safai Gwilym a Glenys yno'n gwenu. Gwenodd Dilys yn ôl arnyn nhw yn ansicr am ychydig.

'Wel, mi yden ni wedi dod,' ebe Gwilym fel petai am dorri'r garw ag ystrydeb. Ni ddywedodd Dilys air, dim ond parhau i wenu ac agor y drws yn lletach i'w croesawu. Teimlodd Dilys gymysgedd o bryder a rhyddhad wrth eu gweld yn croesi'r trothwy. Diosgodd y ddau eu cotiau.

Sgrialodd y gath i loches y gegin pan darfwyd ar ei heddwch gan y profiad anghyfarwydd o weld bodau dynol newydd yn mynd at y mat ac eisteddodd y ddau yn y cadeiriau wrth y tân heb eu hannog.

'Gymerwch chi ddarn arall o gacen, Mrs. Lloyd?' gofynnodd Dilys ychydig yn ddiweddarach.

'Ddim peryg wir,' atebodd Glenys, 'ond mi gymera i gwpaned arall o de os oes yna un yn mynd, a dyna ddigon o'r Mrs. Lloyd yna. Glenys a Gwilym ydy'n henwe ni. Ddim y bos a'i wraig yden ni bellach.

'Iawn, ond hen arfer welwch chi,' ebe Dilys a throi at y droli fach wrth ochr y bwrdd lle safai'r tebot a jwg o ddŵr poeth.

Bu cwmnïaeth ddigon hwyliog o gwmpas y bwrdd, hel atgofion a thipyn o dynnu coes, ond ceisiodd Gwilym sawl gwaith droi'r sgwrs at ddigwyddiadau mwy diweddar.

'Sut mae Dafydd Pritchard yn gyrru ymlaen yn y brifysgol ene?' holodd. 'Glywest ti chwaneg o'i hanes o? Ym mha brifysgol ma' fo? Warwick glywes i. Syndod iddo fo benderfynu newid mor sydyn a mynd i ddarlithio mewn economeg fel yna.' Cododd ei aeliau yn arwyddocaol ond doedd yr un abwydyn a daflai i'r ymgom yn mynd i demtio Dilys at y bachyn.

'Od o beth,' meddai pan ddigwyddodd Glenys sôn am waith Pixel, 'i'r holl syrcas gyrraedd efo'r holl bali-hw, yna'n symud dros hanner y sioe yn ôl i Bracknel a hwythe heb fod yma am fwy na phum munud. Wel, pan ddarllenes i cyn y Dolig fod y sioe ar ei ffordd yn ôl eto, wyddwn i ddim be oedd yn digwydd yn yr hen fyd yma.'

Eisteddodd yn ôl yn ei gadair i aros am sylw arwyddocaol gan Dilys ond ddaeth yr un.

'Ddim wedi dod yma i siarad busnes banc yden ni, Gwil,' ebe Glenys. Roedd am sicrhau nad oedd chwilfrydedd ei gŵr yn mynd i amharu ar yr achlysur a throdd yr ymgom i gyfeiriad arall.

'Ydech chi am i mi'ch helpu chi efo'r golchi llestri, Dilys?' ebe hi pan oedd defod y te ar ben.

'Na, ddim o gwbwl,' meddai Dilys yn bendant a chodi i nôl sigarét. Safodd yno o'u blaenau tra'n ei thanio. Siglai fflam y leitar ryw ychydig. Sugnodd y mwg yn ddwfn i'w hysgyfaint a'i chwythu allan drachefn yn gwmwl glas uwch eu pennau.

'Reit,' ebe hi, yn amlwg am newid y cyweirnod. 'Mae hi'n hen bryd i mi ddod at y pwynt.'

'Be ti'n feddwl?' ebe Gwilym.

'Wel, mi ydech chi'ch dau yn ddigon call i sylweddoli fod rhywbeth ar droed. Dydi hen ferch fel fi ddim yn torri traddodiad ugain mlynedd ac yn gwahodd rhywun i'w thŷ am ddim rheswm o gwbwl. Mi ydw i'n eich nabod chi'n ddigon da i wbod ych bod chi'n berwi o chwilfrydedd. Wel, waeth i mi ddweud yn blwmp ac yn blaen na wnes i rioed fradychu yr un gyfrinach pan oeddech chi'n fanijar a dydw i ddim yn bwriadu torri ar y traddodiad hwnnw.'

Gwridodd Gwilym wrth iddo sylweddoli tryloywder ei sylwadau gynnau fach ac am iddo anghofio am finiogrwydd meddwl ei gyn-ysgrifenyddes.

'Ond . . .' awgrymodd Gwilym.

'Ond,' atebodd Dilys gan dorri ar ei draws, 'roedd gen i reswm llawer pwysicach, rheswm personol, dros ofyn i chi ddod yma heddiw. Mi ydw i'n eich cofio chi Gwilym yn sôn am sut oeddech chi'n teimlo y diwrnod hwnnw pan oeddech chi'n ymddeol o'r banc. Doeddech chi ddim yn gwybod be i ddweud na be i wneud mewn sefyllfa hollol normal am ei bod hi'n ddiwedd cyfnod arnoch chi. Dyna sut rydw i'n teimlo ar hyn o bryd, goelia i, ac fel y gwyddoch chi, fues i rioed yn un amleiriog iawn. Heddiw, dw i am i chi fod yn glust i wrando.'

Plannodd ei sigarét yn y soser lwch a chan gadw ei llygaid ar y llestr chwaraeodd â'r stwmpyn tra siaradai. Feiddiai Glenys na Gwilym ddim tarfu ar lif ei meddyliau. Roedd difrifoldeb ei llais a phendantrwydd pob ystum yn gwarafun hynny.

'Mae gen i lot o hen ddrorie, rhai sy heb weld gole dydd ers tro byd, ac yn ystod y flwyddyn diwetha 'ma mi ydw i wedi ca'l cyfle i dacluso tipyn arnyn nhw. Ma' hi'n hen bryd i'r cynnwys gael dod i'r golwg.'

Dechreuodd Gwilym ddweud rhywbeth ond parodd un edrychiad gan Glenys iddo gadw ei geg ynghau.

'Wrach y base hi'n well i mi sôn am y "pam" cyn i mi fynd ar ôl cynnwys yr hen ddrorie 'ma,' ebe Dilys yn fyfyrgar. 'Chi'n gweld, dw i'n gwbod cryn dipyn amdanoch chi'ch dau. Dw i 'di bod acw. Mi ydw i 'di gweld eich parlwr chi a'ch cegin chi. Mae'n syndod be fedrwch chi ddweud am bobol wrth edrych ar eu dodrefn nhw ac ar be sy ganddyn nhw ar 'u walie. Dw i'n gwbod am eich plant chi, dw i'n gwbod be sy'n eich poeni chi. Mi oeddwn i'n gwbod pan oeddech chi'n tynnu'n groes. Mi es i drwy sawl profedigaeth a dathliad efo chi a thrwy'r cyfan i gyd mi ydw i'n meddwl mod i'n eich dallt chi. Ond be wyddoch chi amdana i? O, dydw i ddim yn dwp o bell ffordd. All neb gael gwell ysgrifenyddes. Mi ydw i'n gall wrth drin pobol, yn daclus ac yn effeithiol ym mhob dim dw i'n neud, ond be wyddoch chi mewn gwirionedd amdana i? Welsoch chi rioed wendid yno i? Wedi'r cyfan, ein gwendide ni sy'n dweud mwya amdanon ni. Dw i'n gwbod be ydy'ch gwendide chi ac mi ydw i'n gwbod be ydi gwendide hanner y dre 'ma a dw i'n dallt eu perchnogion nhw o achos hynny.'

Oedodd i gael ei gwynt ati a throi i edrych eto ar y soser lwch.

'Mae pobol fel fi'n rhai cryfion iawn. Mi fedrwn ni roi help i bawb a threfnu popeth a chadw'n hunain ar wahân. Ond ar yr un pryd, am ein bod ni mor gryf, mi yden ni'n darbwyllo'n hunain nad oes angen neb arnon ni, ond mi yden ni'n gwneud camgymeriad mawr. Mae unigrwydd yn hen ddiawl cryf, hefyd. O, mi fedrwch chi smalio nad ydi o ddim yno a mynd allan i gwrdd â'r byd a'r betws, ac mi wnes i hynny. Erbyn hyn mi ydw i'n siŵr bod y rhan fwya o bobol y lle 'ma'n gwbod pwy ydw i, o leia. Ond pan ddof i'n ôl rhwng y pedair wal yma mae'r hen ddiawl unigrwydd yn aros amdana i bob tro.'

'Wel, roeddet ti'n gwbod bod croeso . . .'

'Cau dy ben Gwilym Lloyd a gad i'r ferch siarad,' torrodd Glenys ar ei draws.

'Ond dyna'r pwynt ynte, Mrs. Lloyd? Sori—Glenys. Ddim acw ar eich aelwyd chi nac yn y capel na'r ysgol nos, ddim yn swyddfeydd y cyngor nac wrth gownter y banc y mae unigrwydd yn llechu ond gartre; ac yn waeth byth, yn fan hyn.'

Pwysodd ei bys yn ysgafn ar ei thalcen.

'Doedd Mam a fi fawr o ffrindie. Mi oedd y bai gymaint arna i ag arni hi, wrach. Ddwetson ni rioed fawr ddim am ein gilydd wrth ein gilydd a ninnau â digon i'w ddweud. Mi fu hi farw yn ddynes unig iawn ac mae hynny wedi poeni cryn dipyn arna i'n ddiweddar. Dad oedd fy ffrind mawr i ac mi ddwedwn i bopeth wrtho fo; ond mi fuo farw'n llawer rhy gynnar. A dyna pam mae gwraig yn tynnu at ei hanner cant yn cyfaddef bod ganddi angen ffrind. Chi'ch dau ddaeth i'r meddwl gynta.'

'Dilys, mae hi'n fraint,' meddai Glenys. Roedd y geiriau a glywsai'n amlwg wedi cael effaith ddofn arni. Ni ddywedodd fwy.

Taniodd Dilys sigarét arall cyn parhau. 'Cyn bo hir bydd gwraig ifanc hardd yn dod i ymweld â fi. Mi hoffwn i iddi hi gael eich cyfarfod chi'ch dau. Helen Ellis ydi ei henw hi. Fy merch i ydi hi.'

Er nad oedd Dilys yn edrych ar y ddau wrth siarad, roedd hi'n ymwybodol o'r syfrdandod ar eu hwynebau. Wedi oedi am eiliad neu ddwy i'r ergyd gyrraedd, aeth yn ei blaen, 'Mae'n debyg eich bod chi'n gwbod i mi fod yn gweithio yn Llundain am rai blynyddoedd cyn i mi ddod i weithio yn y banc yn y Rhewl ac i mi fod yn ysgrifenyddes bersonol i aelod seneddol.'

'Mi wn i rywfaint am yr hanes,' ebe Gwilym.

'Enw'r aelod seneddol hwnnw oedd Raymond Ellis, is-ysgrifennydd yn y Weinyddiaeth Gartref.'

'Ia, dw i'n cofio,' ebe Gwilym.

'Wel, Raymond oedd ei thad hi. Do mi fues i yn ordderch seneddol, er ei bod hi'n anodd credu hynny rŵan. O, mi'r oeddwn i'n caru'r hen ddiawl fel bywyd ei hun; cyfnod melys a surodd pan sylweddolais i 'y mod i'n feichiog. Aelod seneddol parchus, yn y Cabinet, yn y chwedegau yn dad i blentyn ei ysgrifenyddes. Doedd campau Profumo ond newydd fynd dros y gorwel. Byddai sgandal newydd wedi siglo pethau braidd ac etholiad yn dynesu.

'Beth oedd yr ateb? Gadael fy swydd? Encilio i gilfach yn rhywle o olwg y wasg? Dim peryg! Mae'u trwyne nhw'n rhy fain. Erthyliad? Mi oeddwn i'n ddigon penderfynol i beidio ag ystyried yr opsiwn hwnnw. Ac wedyn daeth yr ateb, ateb perffaith. Rhoi'r plentyn i'w fabwysiadu, a'i roi i'w fabwysiadu gan y tad. Fedrai gwraig Raymond ddim cenhedlu plant, ac wn i ddim hyd heddiw a wyddai hi pwy oedd y rhieni pan dderbyniodd hi'r plentyn.

'Mi drefnwyd i mi ddiflannu'n dawel o'm swydd cyn i ddim ddangos a thorrais gysylltiad â bron bob un o'm ffrindiau a'm cyd-weithwyr. Cadwais un, a hi a drefnodd y cyfan. Trefnodd i mi aros tan yr enedigaeth mewn hostel breifat yn Richmond. Belinda, yn rhinwedd ei swydd yn y Weinyddiaeth Gartref a sicrhaodd bod y dogfennau angenrheidiol yn mynd drwy'r sianelau priodol. Mi gadwodd hi olwg o hirbell ar brifiant y plentyn wedi i mi ddod adref. Do'n i ddim am wbod a fydde hi ddim yn cysylltu â fi os nad oedd raid. Dyna oedd y cytundeb. Wyddoch chi be, mae fy merch i'n medru siarad Cymraeg, a wyddwn i mo hynny.

'Do, mi ddaliais i fy unig ferch yn fy mreichiau am ddeng munud cyn i'r nyrs ei chymryd hi. Mi gysurais fi'n hun wedyn trwy wbod iddi fynd at ei thad.'

Gyda chaledwch yn ei llais ychwanegodd, 'Wyddwn i ddim y base fo'n lladd ei hun o fewn tair wythnos, ond stori arall ydi honno. A dyna ni.' Edrychodd Dilys am eiliad ar y naill a'r llall ohonyn nhw cyn codi i roi rhagor o lo ar y tân.

Eisteddai Gwilym a Glenys yn gegrwth.

Cafodd gusan gan Glenys wrth iddyn nhw ffarwelio. Safodd honno o'i blaen, 'Falle dy fod ti 'di 'i gadel hi'n hwyr 'y merch i ond dydi hi ddim yn rhy hwyr. Fe ddown ni'n ôl rywbryd eto cyn bo hir.'

Cafodd gusan hefyd gan Gwilym, ond cyn iddo fynd daeth y cyfle i ofyn cwestiwn a fu'n berwi yn ei feddwl ers hanner awr. 'Pam rŵan?'

'Mi fuodd y llysfam farw ryw ddwy flynedd yn ôl ac mae hi wedi cymryd tipyn o amser wedyn i orffen tacluso'r hen ddrorie 'na.'

Doedd Gwilym ddim yn edrych fawr callach ond gwyddai y byddai rhaid bodloni ar y briwsionyn. Cododd goler ei got i wynebu awel finiog mis Mawrth ar ei ffordd i'r car.

'Gyda llaw,' ebe Dilys ar ei ôl cyn iddo gau drws y car, 'mi ydw i 'di gneud cais am fynd ar un o'r cyrsie ma'r banc yn 'u trefnu; cwrs cyfrifiadureg.'

Daeth llythyr drwy'r drws drannoeth a cherddodd Dilys i lawr y cyntedd i'w gyrchu gyda'r *Guardian* o'r mat. Agorodd y drws i gyfarch y dydd yn ôl ei harfer. Chwythai gwynt eithaf cryf o'r de-orllewin a chariai gymylau pluog. Penderfynodd gymryd ei chot law gyda hi i'r banc y bore hwnnw.

Sgrialodd y gath o'r rhandir oedd yn eithaf llwm er cawodydd cynnes y gwanwyn. 'Mi fydd y blodau'n prifio cyn bo hir,' meddyliodd fel y gwthiodd y gath heibio i waelod ei gŵn llofft tua'r gegin.

Sylwodd Dilys bod enw newydd yn gyfrifol am groesair y bore. Rhywun newydd i'w daclo, Mercury. 'Sgwn i sut un fydd o tybed?' meddyliodd wrth osod y papur a'r llythyr ar y bwrdd a rhoi'r tegell i ferwi.

Gyda'r cyfan o'i blaen: papur, siwgwr, llaeth, tebot, cwpan a soser, a'i phecyn sigaréts, cododd y llythyr fel petai'n barod i wynebu ei gynnwys o'r diwedd. Arllwysodd de iddi ei hun tra'n dadansoddi ei du allan. Marc post Llundain; ysgrifen ddestlus mewn llaw fenywaidd. Taniodd sigarét cyn mentro'i agor.

Gwelodd bod dau lythyr yn yr amlen. Adnabu'r llaw-ysgrifen ar un amlen ond agorodd y llall o'i flaen. Darllenodd:

Notting Hill,
Nos Sadwrn.
14/4/90

Annwyl Dilys,

Torri'r cytundeb mi wn i ond yn symud fflat. Rhaid dweud. Cyfeiriad newydd,

Flat 2B,
Courtenay Rd.,
Shepherds Bush.

Newid job hefyd. Lot o ddrysau'n dechrau agor yn sydyn?
Dechrau yn y Weinyddiaeth Amddiffyn yr wythnos nesaf. Yn dechrau sylweddoli fod yna lot o bethau'n digwydd sy'n ddirgelwch i mi.
Rwy'n dychwelyd y llythyr. Mae'r cyfrifoldeb o'i gadw wedi bod yn llethol. Cawn gwrdd yn fuan, y leave wedi ei drefnu.

Cofion a môr o gariad,

Helen.

Gwenodd.
Agorodd yr amlen arall oedd â melynder yn bradychu ei hoed. Agorodd hi'n araf a charuaidd. Gwyddai ei chynnwys, ond darllenodd ef beth bynnag.

Llundain,
Nos Wener.
20/10/68

Annwyl Dilys,

Mi ydyn ni'n mynd i mewn i'r gwaith yn llawn awyddfryd pur, yn llawn brwdfrydedd, yn llawn o dân i wella'r byd. Ond mae'r hen ddiawl o fyd yma'n cael y gore arnon ni bob tro. Mae ganddo fe gic fel mul ac wedi iddo fe'n cicio ni fwy nag unwaith, mae'r awyddfryd a'r tân yn pylu; mae'r breuddwyd yn troi'n hunllef ac mae bywyd yn troi yn gaglau yn y botel.

Mi yden ni wleidyddion yn meddwl y gallwn ni wneud a fynnon ni, y gallwn ni greu a chwalu, y cyfan er budd cymdeithas gyfan. Pan lwyddwn ni rydyn ni'n derbyn y clod, ond pan fethwn ni, byddwn yn celu a chuddio'r camwedd. Ond os darganfyddir y camwedd, gall y cwymp fod yn fawr. Rwyf fi ar ben dibyn a gwn fod cwymp anferth i ddyfod.

Aeth Comet arall yn wenfflam neithiwr a chant o fywydau gyda hi; ar lethrau mynydd Fuji yn Japan. Ddoe cawsom ni ganlyniadu y black box o'r un a aeth i'r mynydd ger Alicante. Mae'r bai yn disgyn yn sgwâr ar A.E. a methiant y llyw electronig sy'n arwain yr awyren drwy'r niwl.

Chwe mis yn ôl, aeth Comet arall i'r graig ger ynys Rum yn yr Alban a chollwyd bywydau dau beilot arbrofi. 'Pilot error' ddywedwyd yn y datganiad swyddogol.

Nid poeni am swyddi'r cannoedd yn Bracknell a'm hysgogodd i i ganiatáu'r datganiad ond ein hen ffrind Harvey Bateman sy'n dda iawn am ddarganfod manylion personol am bobl. Fe wyddost pa rai. Mae e wedi cael talu'r pwyth yn llawn am i mi dy ddwyn di oddi arno.

Erbyn yfory, bydd pob awyren sy'n cario'r offer diawl yn segur ar feysydd awyr y byd, ond mae yfory'n rhy hwyr, yn rhy hwyr o lawer. Duw a'm gwaredo. Dim peryg yn y byd.

Raymond.

O.N. Mae Helen yn iach ac yn gryf fel ei mam. Och na chawn i'r ddwy yn gefn i mi.

Agorodd y dror ym mwrdd y gegin, tynnu bocs ohono a'i agor. Ynddo roedd darn o bapur a dorrwyd o dudalen flaen y *Liverpool Daily Post* a gyrhaeddodd i'r tŷ yn y Rhewl yr un bore Llun ag y daeth y llythyr oedd ganddi yn ei llaw. Arno roedd llun Raymond ac erthygl yn dwyn y pennawd:

UNDER-SECRETARY FOUND DEAD

Edrychodd Dilys yn hir arnyn nhw a chraffu'n hwy wedyn ar y llun cyn cymryd llythyr Helen a'i osod yn ofalus yn y bocs gyda'r ddisgen gyfrifiadurol fechan oedd yno'n barod. Caeodd y bocs a'i roi'n ôl yn y drôr. Cododd y ddau ddarn papur arall a'u plygu gyda'i gilydd. Taniodd ei leitar. Oedodd eiliad cyn gadael i'r tân gyffwrdd â'r papur. Wedyn gwyliodd y fflam yn llyfu'r ochrau. Fel y dynesodd y fflam at ei bysedd, gollyngodd y cyfan i'r soser lwch a syllu ar y papur yn cyrlio'n grimp du cyn i'r fflam olaf ddiffodd ac i bluen o fwg esgyn tua'r nenfwd. Fel y codai'r mwg o'r llwch, chwythodd i'w wasgaru.

'Sut maen nhw eleni?' ebe Dilys wrth basio Seimon wrth y sgwâr rhosod gyferbyn â'r banc ar ei ffordd i'w gwaith.

'Be?' ebe Seimon.

'Yr hen wenyn acw,' atebodd Dilys fel petai'n methu â deall pam y gofynnodd y cwestiwn o gwbwl.

'O, yn well ddybryd. Wedi criwtio'n arw, ond mae hi'n gynnar eto,' ebe Seimon.

'Dw i'n falch clywed,' meddai Dilys cyn troi i ganu'r gloch i gael mynd i mewn. Agorodd Richard y drws. Roedd Arthur wedi gadael ers mis am borfeydd gwelltog tua'r De.